スタンフォード大に三人の息子を合格させた50の教育法

50 education methods from a mother who put 3 sons into Stanford

Agnes Chan
アグネス・チャン

朝日新聞出版

プロローグ　Prologue

2015年、私の三男がスタンフォード大学に合格し、入学しました。

「スタンフォードってハーバードを抜いて、アメリカで一番倍率の高い大学でしょう？」「兄弟三人全員を入学させたなんてすごい！」「どうやったの？　その秘訣は？」質問が私に集中しました。

それは簡単に説明できることではありません。とても一日や二日でできたことではないのです。

ペーパーテストによる一斉入試のないアメリカの大学では、日本のような、「テストによる一発逆転ホームラン」は決してありません。

アメリカの大学では、入試の代わりに、願書とエッセイの内容が最も重視されます。そして、多くの英語圏で使われている大学進学適性試験（ＳＡＴまたはＡＣＴ）の成績の他、中学から高校まで4年間の成績が考察され、語学力、コミュニケーション能力、リーダーシップ、社会への貢献度、将来の可能性、卒業時の担当教員の評価、表彰歴なども選考されます。

成績が優秀なのは当たり前。そのほかに、これまでに何を達成したのか、これから何を達成する可能性があるのかが肝心なのです。

つまり大学は、その子の人生すべてを見て、入学の可否を決めるのです。

そのため、トップクラスの大学に子どもを入学させたい親は、子どもの人生を普段から充実させ、最大限に可能性を伸ばし、学力以外にも能力のある魅力的な人間に育てていかなければなりません。そうしなければ、まずトップクラスの大学には合格できません。そのハードルは、本当に、想像を絶するほど高いのです。

私の日本での母校は上智大学。上智大学の心理学部、社会児童心理学科に2年通った後、単位をカナダのトロント大学に移して卒業しました。

両大学とも素晴らしい大学です。しかし世界的なランクだけで比べれば、スタンフォード大学のような世界の名門校との差はとても大きいのです。

私にとっても、スタンフォード大学は憧れにすぎませんでした。それが、1989年、ある出会いがあって、すべてが変わりました。

それは私が出産後、長男を伴って仕事場へ行ったことがきっかけで巻き起こった「アグネスの子連れ論争」が始まりでした。

「アグネス論争」(※編集部注)は、1987年から2年間にも及ぶ女性論争として、社会的な話題となりました。それがアメリカの週刊誌『タイム』に取り上げられ、スタンフォード大学の教育経済学者、マイラ・ストローバ博士の目にとまったのです。

「ぜひお会いしたい」と、共通の友人から誘いが来ました。

当時、すでに日本の大学で講師として教壇に立っていた私に、ちょうどカリフォルニアの州立大学から特別講義の依頼が届きました。

その講義日程に合わせて渡米し、スタンフォード大学に立ち寄って、ストローバ博士と面会したのです。

そのとき見たスタンフォード大学に、私は一目惚れしました。

広大なキャンパスにはスペイン風の建物とパームツリー。青空の下で、学生たちはサンダル履きに短パン姿。その自由な雰囲気と笑顔があふれるキャンパスに、私は未来の匂いを感じました。

ストローバ博士は私に、大学院に入り、経済学的な視点から「アグネス論争」を客観的に分析し、研究することをすすめてくれました。

とはいえ、子どももいたので、本当に留学するかどうか、とても迷いました。そんな私を見て、夫は背中を押してくれました。私自身、「もっと知識を身につけたい！」という意欲も出てきました。入試のために論文を書き、大学院へ進学するのに必要な共通試験（ＧＲＥ）にも合格して、１９８９年、私はスタンフォード大学の教育学部博士課程に入学しました。

こうして私の子連れ留学が始まったのです。予想通り、大学は、私に大きな夢を見せてくれました。レベルの高さに苦しむ私を、友人や教授たちが熱心にサポートしてくれました。

それから5年。１９９４年、私は卒論を書き上げ、スタンフォード大学から教育学博士号（Ph.Ｄ）を授与されました。

この間に、次男を出産し、２児の母になった私は、校内で遊ぶ息子たちの姿を見て、「いつかこの子たちもこの大学で学べたらどんなにいいだろう」と思うようになりました。

もちろん、そのときはまだ夢のような話だったのですが……。


スタンフォード大学のある地域は、アメリカのＩＴイノベーションの聖地、シリコンバレー発祥の地です。

今やここにはグーグル、ヤフー、フェイスブック、アップルなど情報社会をリードする会社が林立してます。町には若い起業家があふれ、次の時代を作っていく一流のエリートたちが集まっています。

スタンフォード大学は、その中心として、多くの優秀な人材を育ててきました。

「この環境の中で学べたら、きっと息子たちは世界中どこへ行っても通用する人間になれる」と私は確信していました。

日本にももちろん優秀な大学がたくさんあります。しかし、スタンフォードのようなアメリカの一流大学は、人材も財力もさらに優れています。

息子たちがその恵まれた環境の中で、最高水準の人々と肩を並べて学ぶことができたら、そこから得るものは計り知れない。日本だけで学んでも、世界は見えないかもしれない。子どもたちには、本当の世界の広さ、素晴らしさをもっと知ってほしい、と強く思うようになりました。

わが家は共働きの家庭です。時間のない中での子育ては、ともかく大変でした。子どもたちを守り、健康に、無事に育て上げるだけでも至難の業です。本当にアメリカの一流大学に入れることができるのか？　子どもが小さいときは、何の確信もありませんでした。でも、頭の奥のどこかに、子どもたちを世界に通用する人間に育て上げたいという思いが常にありました。

「時代に乗り遅れたくない」という危機感もありました。そのためには、親として悔いのないように、「毎日できる限りのことをすべてやろう」と決めました。

それからは、できるだけ多くの時間を子どもたちと一緒に過ごすようにしました。トロント大学で学んだ児童心理学の手法や、スタンフォード大学の教育学部で研究した教育理論も使いました。後は自分の勘と、親の教えも付け加えて、〝アグネス流教育法〟を生み出したのです。それは毎日の挑戦であったし、毎日の楽しみでした。夫も私と一緒に、多くの時間を、子どもたちのためにさいてくれました。そうしてがむしゃらにやってきた結果、夢のスタンフォード大学に、三人の息子全員が入学を果たしたのです。

三男の合格の知らせが来たとき、その嬉しさは……天に届くほど大きなものでした。

泣いた！笑った！万歳した！ そして周りのみんなと抱き合いました。奇跡のように感じました。心の中で、何度も、何度も「ありがとう！ ありがとう！」と呟きました。「努力した甲斐があった！ すべてが報われた！」と思いました。

その喜びは、合格したからだけではありません。どんな名門大学に入学しても、卒業しても、その後の人生が保証されるほど世の中は甘くありません。

ただアメリカで一番の難関、スタンフォード大学が息子たちを認めてくれたこと、スタンフォード大学の厳しい選考基準に合格できるほど、息子たちが努力し、成長してくれたことが嬉しかったのです。それは、親としての誇りです。

「三人ともスタンフォード？　ありえないでしょ！」「何か特別な教育をしたの？」と聞かれても、私には「いいえ、普通ですよ」と答えるしかありません。

人と比べたことがないから、自分の子育て法が特別かどうかわからないのです。しかも子育ては、その子ども、その家庭によって、最適な方法が違って当然なので、私の教育法がみんなに通用するかどうかはわかりません。むしろ私の教育法は特殊で、万人向きではないかもしれません。

それでも、たくさんの人が「ぜひ『アグネス流の教育法』を読んでみたい」と、言ってくださいました。それならば孫の世代のためにも、自分なりの子育て法の大技、小技、そして私が実践してきた教育法を書いてもいいかなと思いました。

この本に書かれている私の子育て法、教育法は、子どもを世界の一流大学に合格させるためのノウハウではありません。むしろ世界に通用する、世界で活躍できる若者を育てるための参考書とでもいうべきものです。これからの教育は、国際基準に合わせていかないと、子どもたちは世界ではもちろん、日本でも活躍できないと思います。

この本が、一つの「子育てヒント集」として、世界レベルの子育てをしたいあなたの参考になれば幸いです。きっとあなたのお子さんも、自分を信じ、大きな夢を持ち、前向きに挑戦し、世界に貢献することのできる若者に成長してくれるはずです。

世界の未来をになう子どもたちが、一人でも多く元気に育ちますように！　この本が少しでもお役に立てれば、これ以上の幸せはありません。

＊編集部注──「アグネス論争」とは、1987年に第一子を出産した著者が、乳児を連れてテレビ局の収録現場に行ったことがマスコミに取り上げられ、その是非をめぐりあらゆるメディアで論争が起こったこと。

〈世界大学ランキング〉

2015-16年	大学名	国
第 1 位	カリフォルニア工科大学（CALTECH）	アメリカ
第 2 位	オックスフォード大学	イギリス
第 3 位	**スタンフォード大学**	**アメリカ**
第 4 位	ケンブリッジ大学	イギリス
第 5 位	マサチューセッツ工科大学（MIT）	アメリカ
第 6 位	ハーバード大学	アメリカ
第 7 位	プリンストン大学	アメリカ
第 8 位	インペリアル・カレッジ・ロンドン	イギリス
第 9 位	スイス連邦工科大学チューリッヒ校（ETH Zurich）	スイス
第10位	シカゴ大学	アメリカ
第11位	ジョンズ・ホプキンス大学	アメリカ
第12位	イエール大学	アメリカ
第13位	カリフォルニア大学バークレイ校（UCB）	アメリカ
第14位	ユニヴァーシティ・カレッジ・ロンドン（UCL）	イギリス
第15位	コロンビア大学	アメリカ
第16位	カリフォルニア大学ロサンゼルス校（UCLA）	アメリカ
第17位	ペンシルバニア大学	アメリカ
第18位	コーネル大学	アメリカ
第19位	トロント大学	カナダ
第20位	デューク大学	アメリカ
第43位	東京大学	日本
第88位	京都大学	日本

※「The Times Higher Education World University Rankings 2015-2016」より

スタンフォード大に三人の息子を合格させた50の教育法／目次

第3章 子どもに与えたい16の力 勉強にも役立つ 103

第6章 スタンフォード大への道 231

第1章

親としての8つの覚悟

1

Be an education-minded mom

教育ママ宣言

教育は
親が子どもにあげられる
最高の贈りもの。

私は「教育ママ」であると自覚しています。

なぜ教育ママになったのか？　それは私の生まれ育ちに深く関係していると思います。

父が生まれた香港は、アヘン戦争以後、イギリスの植民地となり、第二次世界大戦中には日本の占領を経験し、戦後は再びイギリスの植民地に戻り、１９９７年に中国に返還されました。

母が生まれた中国は、国共内戦から共産主義となり、中華人民共和国が成立してからも文化大革命を経て解放政策に至るまで、ずっと争い続きでした。

両親はこうした厳しい社会情勢の中で、不安定な生活を強いられてきました。昨日まで価値があった貯金も、政府が変われば、なんの意味もない紙切れになってしまう。そんなことを何度も経験したのです。築き上げてきた商売も、土地も、名誉も、政権が変わると価値観が変わり、すべてを失うことになる。

そんな状況の中で生きてきた父が、口癖のように言っていたのは、「お金や名声は流れもの。何かあったらすぐに奪われる。でも、一度頭の中に入った知識は、人は奪うことができない。一生の宝になる。だから勉強できるときは、ありがたく勉強しなさい」というものでした。

どんなに生活が苦しくても、必死に働いて、両親は私たち六人兄弟を学校へ通わせてくれました。

「子どもたちには明るい未来がある。でも、そのためにはしっかり教育を受けさせなければ」と教育には確固たる信念を持っていました。

私が一度アイドルの仕事を辞めてカナダへ留学したときも、父はこの言葉で私を説得しました。あまりに忙し過ぎて、大学にも通えない、友達をつくることもできない私の生活ぶりを見て、「留学するように」と父が提案してくれたのです。

私は2年間トロント大学で学び、それがきっかけで人生が大きく変わりました。勉強だけでなく、歌を歌うことの意味や、自分のアイデンティティーなどについても、深く考えることができたのです。

その後、スタンフォード大学で博士号を取得して、また私の人生は大きく広がりました。

「勉強できるときはありがたく勉強しなさい！」

父がくれた言葉の重さを今も感謝とともにかみしめています。

親が子どもに与えられる最大のプレゼントは教育です。だから私は子どもができたら、人生をかけて、子どもに最高の教育をしたいと心に誓っていました。

私は自分が教育ママであることに、自信を持っています。「そんなに勉強、勉強って言ったら子どもがかわいそう」と言う人がいるかもしれません。でも教育＝勉強とは思っていません。教育はいろいろな意味をもつ言葉です。だから私は、教育ママであることに少しも恥じることはありません。

そもそも、教育はいつから始まるのか？

私はそれは、妊娠中からだと思っています。特別な胎教こそしなかったけれど、「体を大切にして、元気な赤ちゃんを産もう」と思うことから子育てはスタートしたのです。

そして妊娠中の9か月間で、わが家の生活に合わせた子育ての段取りを考えたり、夫と教育プランや教育目標について話し合ったりしました。

乳幼児期は、教育のもっとも大切な時期です。「三つ子の魂百まで」と言いますが、子どもの脳の発育の80％は、3歳までに完成するといわれています。

この頃までに形成された性格や個性は、その後の子どもの人生に大きく影響していきます。多くの心理学者や教育学者も、「乳幼児期の教育への投資が、一番実りが大きい」と口をそろえています。

就学前の子どもに寄り添い、できるだけ多くの時間を一緒に過ごし、愛情いっぱいに育てたい。その考えはすでに妊娠中に決めていました。

子連れで仕事場に行くようになったことの背景には、そうした考え方があったのです。

乳幼児期の教育がうまくいけば、就学後の子育ては、ずっと楽になります。子どもの教育は、学力だけではありません。心身両面にわたる総合的な人間形成のプロセスです。

私の子育ての一つの大きな目標は、子どもたちが最高の環境で、素敵な先生たちや友達に囲まれて、たくさんの刺激を受けながら、自分からすすんで勉強できるようにすることでした。そのために、できることはすべてやったつもりです。その結果、三人の息子たちは、夢を叶えてスタンフォード大学に合格することができたのです。

2

Arrive at a consensus with your spouse
as how to educate your children

夫婦間で教育の方針を決める

どんな教育を与えたいのか、
夫婦間でコンセンサスを。

子どもの教育方針には、夫婦間のコンセンサス（合意）が欠かせません。妊娠したら、すぐに夫婦で話し合いをするのがいいでしょう。

わが家では、「いろんな意見があったとしても、教育に関しては、最後は君が決めていい」と夫が言ってくれました。「僕は君ほど教育熱心じゃないから」と言っていましたが、今振り返ってみると、肝心なときにはいつも良い意見を出してくれて、結果としては、夫の意向のほうが多く通ったようにも思います。

私がスタンフォード大学の博士課程を修了して帰国し、日本で博士論文を書きながら仕事を再開した１９９２年は、長男の小学校を決める時期でした。私は都内のある有名私立小学校に注目していました。大学までエスカレーター式の学校で、ここに入学できれば、親としては安泰と思ったのです。先輩ママから、受験のアドバイスなどもいただいていました。

しかし、ある日、夫がこの小学校の説明会から帰ってきて、「ママ、受験はやめましょう」と言うのです。その説明会で、先生が「こんなにたくさんの希望者がいるのですから、お子さんの面接日には絶対に風邪を引かせないでください。一生を左右する日なので、親の責任として、元気なお子さんを連れて来てくださいね」と言ったそうです。

夫は「子どもは風邪を引くもんだ。そんなことを言うのは、子どもの身になっていない証拠。だからあそこには通わせなくていい」と憤慨していました。その話を聞いていて「子どもを有名校に入れたいのは、親の見栄なのかもしれない」と気づきました。世の中のブランド志向に流されていた自分が恥ずかしいと思いました。

私には「子どもを通わせてもいいかな」と気になっていたインターナショナルスクールがありました。ただし、そのインターナショナルスクールは、当時は文科省から認められておらず、卒業しても日本国内の大学に進学できるかどうかの保証もありませんでした。それでも、夫婦そろって説明会に行ってみました。

「面接の日に、もしお子さんが風邪を引いたら、すぐに知らせてくださいね。別の日にチャンスを作ります。お子さんのベストの状態が見たいのです。絶対に子どもに無理をさせないでね」と先生から説明を受けました。その瞬間、夫婦で顔を見合わせて、「ここだね」とうなずき合いました。子どもの目線で物事を考えてくれている学校がいいと思いました。それが「西町インターナショナルスクール」でした。

西町インターナショナルスクールに入学後、私は、あらゆる学校行事にできるだけ参加してくれるように夫に頼みました。そして何か困ったことや迷ったことがあると、必ず夫に相談して解決してきました。

子育てや、子どもの教育にはたいへんなエネルギーが必要なので、夫婦の協力は不可欠です。長男がアメリカの高校に進学したい、と言ったときも、スタンフォード大学を選択するときも、夫は私と子どもたちに的確なアドバイスをしてくれました。どんな学校に進学させるのかは、子どもの一生を左右する重大事です。それを決めるためには、将来を見越して賢い選択をしなければなりません。

「うちの夫は協力的じゃないから」と言う友人もいます。しかし、自分の子が可愛くない父親なんていません。意見が合わないことがあっても、時間をかけて、少しずつ会話を積み重ねていくことが大切です。教育方針や進学に関しては夫婦間でよく話し合い、コンセンサスを得ることが基本中の基本です。

「孟母三遷《もうぼさんせん》」というように、子どもの教育環境を整えるためには、引っ越しも辞さないくらいの覚悟が必要になるときがあります。大事な決断のときには、夫婦でとことん話し合うことが何より大切なのです。

3
The responsibility of educating the child rests with the parents

教育の全責任は親が持つ

人間形成という大事な仕事は
学校に任せっきりにしてはいけません。

「教育の全責任は親にある」と私は確信しています。学校や先生は大事なパートナーですが、子どもの教育は、基本的に親がすべて責任を持つべきです。

小・中学校では読み書き計算を教えてくれて、高校、大学では社会で必要とする専門知識を教えてくれます。でも、先生の生き方や物の考え方が、いつもすべて正しいとは限りません。なかには、子どもに学んでほしくないこともあります。

たとえば、次男の小学校の参観日に行ったときのことです。ある先生が「人間はみんな卑怯もの」というテーマを掲げ、「日頃、家で家族や自分が卑怯ものだと思ったことを発表しなさい」と言ったのです。

私はびっくりしましたが、成り行きを見守ることにしました。順番が回ってくると、次男は「人間は卑怯ものではないと思う。もし卑怯な人がいたら、よく話して、直してあげたい」と発表しました。それを聞いた先生は「よくテーマがわかっていないようですが、頑張って発表したので、拍手しましょう」と、まるで次男が間違ったことを発表したかのように話しました。

他の子どもたちは、必死で人のアラを探し出すかのようにして発表していました。

後日、私はその先生に会いに行きました。「人間がみんな卑怯ものだとは思わないのですが……」と考えを話しました。すると先生は「いいえ、自分が卑怯ものだとわかった子のほうが、他人を許すことができると思います。だから、子どもには自分も卑怯ものだと覚えさせたほうがいいのです」と、あくまでも自分の考えが正しいと譲りません。私は帰宅してから次男に「そんなことはないからね。君もママも卑怯ものじゃないよ」と改めて話しました。「そうだよね」と次男はホッとした表情でした。

このように先生によっては、偏った考え方を持っている人がいるのです。インターナショナルスクールの中には、アジア人に差別意識を持った先生もいました。ルールだけがすべてで、権力で生徒を服従させようとするような先生もいました。そういう偏った考えから子どもを守るのは、親の役目です。

どうしても子どもと気の合わない先生が担任になる年もありました。

そういうときは「できるだけ先生のいいところを見るようにして、勉強に集中しよう。どうしても先生が好きになれなくっても、1年だけだから」と子どもを慰めました。そして先生の好き嫌いで子どもの成績が下がらないように、よけいに注意深く学校生活をサポートしていきました。

人間形成の大事な年代に、子どもたちは多くの時間を学校で過ごします。狭い世界で他の子と比べられ、学業の成績やスポーツの成果で価値を測られます。それは過酷な環境です。学校生活にうまくなじんで、楽しめる子もいれば、学校に潰されてしまう子もいます。親はそうしたリスクがあることをよく理解した上で、子どもがどんな環境に置かれようとも、自分を信じて可能性を伸ばせるようにする責任があります。

子どもの教育に責任を持つのは、決して学校や先生ではありません。「子どもの教育の全責任は、親が持つ」。まず、その覚悟をしなければなりません。

4

Shower your children with love, it will help them bloom

限りない愛情を注ぐ

愛されて、
初めて人を信じるようになる。

人間は愛情を受けて育つことで、人を信じるようになります。人を信じることが、自分を信じることに繋がるのです。

そのため、とくに乳幼児期のときには、私は息子たちにありったけの愛情を注ぎました。

乳幼児期の子どもは、いつも特定の人間に面倒を見てもらい、可愛がってもらうことで人を信じることを覚えます。お腹が空いたら食べ物を与えてもらえる。泣いたら慰めてもらえる。疲れたら抱っこしてもらえる。その繰り返しで、子どもは安心して成長していきます。その人はママでも、パパでもいい。保育園の先生でも、おばあちゃんでもいいのです。

一方、この時期に大切にされず、十分な愛情を与えられなかった子どもは、コミュニケーション能力が低くなったり、人間不信になったりしがちだといわれています。

私は愛情表現として、何よりもスキンシップを大切にしていました。三人の息子とも、1歳8か月まで母乳で育てました。赤ちゃんのときは、常に抱っこ、おんぶをして、母親の体温や匂いで安心できるようにしました。一人で寝たいと言うまで、ずっと一緒のベッドで寝ていました。

意識して素直な直接的な愛情表現をするようにも心がけました。

小さなときは抱きしめて、「キッスの雨」と言って、頭のテッペンから足の裏までキッスをしたりします。子どもは嫌がりながらも、キャッキャッと嬉しそうに笑ってくれました。

仕事が終わって帰ると、私は必ず息子たちを集めて、抱きしめて「セラトニン、セラトニン、セラトニン」と自分で作った替え歌を歌いながら、「ママに幸せをちょうだい」と言います。そう、セラトニンは幸せのホルモンです。大好きな人と一緒にいると、脳に分泌されて、幸せな気分になれるホルモンです。

息子たちは小さなときから、自分たちが「ママの幸せの元」とわかっていたと思います。

「そばにいてくれるだけで、ママは誰よりも幸せよ」と、恥ずかしがらずに口に出す。

もちろん、「大好き大好き」「I Love You」も毎日口にします。電話で話すときも、最後は必ず、「I Love You」。そうすると、「I Love you too」と決まって息子たちは返してくれます。

わが家は共働きなので、夫婦で力を合わせて、とにかく息子たちに寂しい思いをさせないようにと頑張りました。私の場合は、仕事の時間が不規則で長いので、息子たちといられる時間は限られています。そのため時間を節約できるところは、片っ端から節約しました。仕事以外の時間は、すべて息子たちと過ごしました。

買い物はスーパーまで買い出しに行く時間がもったいないので、自宅まで届けてくれる生協を利用しました。洋服は子どもたちが寝た後にインターネット通販で購入。美容院に行っても、ただ髪を切ってもらうだけでブローもしませんでした。

友達とのんびりお茶を飲んだり、夫と二人だけで出かけた記憶もありません。極端に言えば、ゆっくりトイレに入ったり、長風呂をしたり、自分が好きな音楽を聴く暇さえなかった。それほど息子たちと一緒にいる時間が欲しかったのです。

子どもとずっと一緒にいられる時間は、人生のほんの一瞬です。幼稚園や学校に行き始めれば一日数時間しかありません。中・高生になれば、もっと少なくなります。それだけに、体と脳が急成長する乳幼児期には、できるだけ多くの時間を子どもにさくことが大切だと思ったのです。

もちろん、子どもに十分な愛情を注ぐためには、単に長い時間を一緒に過ごせばいいわけではありません。短い時間しかとれなければ、そのぶん密度の濃い時間にすればいい。

たとえ仕事などの関係で、子どもと触れ合える時間が1時間しかなくても、30分しかなくても、大丈夫！　その間に本気で、楽しくスキンシップをして、遊んで、会話をして、「ママと一緒の時間は最高！」と子どもが心底から思えれば、時間の長短は問題ではありません。

子どもは敏感なので、全身全霊で本気で付き合っていれば、親の愛情は十分に伝わるものです。

今となって、長男は「子ども時代、寂しい思いなんか全くなかったよ」と言っています。次男は「ママとパパが一生懸命やってくれてることはよくわかっていたよ」と。三男も「愛されてることを疑ったことは一度もないよ」と言ってくれます。

無我夢中で働いて、子育てをして、体は本当にきつかったけれど、一方で子どもたちとの触れ合いは、私にとって何よりのストレス解消でもありました。そして、親の必死さ、無償の愛情は、必ず子どもに伝わると、私は確信しています。

「愛情いっぱいに育てられた人間は、人を愛するときにも戸惑いがない」と言われます。人間だけではありません。愛されて育った人間は、青空や、綺麗な空気や、太陽や虹や星や、自分が暮らす街にも社会にも、愛情を感じられるようになるのです。自分の周囲に愛しさを感じられる人は、幸が多い人です。

人生の中で感動が増え、寂しい時間が減らせるのです。

人間の強さは力だけではありません。むしろ心の中にどのくらい愛情があるかによって、人間は強くなります。そして根気よく困難を乗り越え、人生を全うすることができるようになるのです。

だからこそ、恥ずかしがらずに、ストレートに愛情を表現することが大切です。愛情表現は大げさなくらいで丁度いい。私はそう思っています。

子どもが「愛情で育つ」というのは、いつの時代も真実なのです。

5

Remember, always“Child First”

自分より
子ども優先

子どもの身になって考え、
行動をすると楽になります。

子どもがいると、まず普段通りに物事を進めることはできません。親は思い通りの生活ができず、ストレスがたまって体調をくずしたり、育児ブルーになってしまったりする人もいます。

子育ては毎日が冒険のようなものです。寝てばかりいた赤ちゃんがハイハイをし、お座りをし、歩き出し、走り出し、言葉を理解してしゃべり出す。そして自分の意思が伝えられるようになると、毎日違う要求が出てきます。その要求に応えるためには、膨大なエネルギーが必要です。これでは大人が普段通りに生活できないのも当たり前です。

たとえば子どもが生まれて、親が初めて経験する赤ちゃんの夜泣き。長男はよく夜泣きをしました。「夜は寝るもの」と思い込んでいた私は、昼間の仕事疲れもあって、「なんで寝てくれないの？」と泣きたい気分でした。

でも冷静に考えてみると、10か月間もお腹の中にいた赤ちゃんは、昼と夜の区別がつかなくて当たり前。暗くなったからといって、すぐに眠れるわけがない。そこで「夜に寝たいのは私のほう。この子は眠くないのかもしれない」「それなら、子どもに合わせてあげよう」と、夜中に抱っこして外に出てみました。外気にふれながら、子守唄を歌ってやると、30分ほどで眠ってくれました。ホッとして、家に帰ってベッドにそっと寝かせると、また泣きだす。添い寝ではなく、抱っこをしてほしいのです。

そこで、また発想を変えることにしました。「横になって寝たいのは私。赤ちゃんは子宮の中と同じように、母親の体温に包まれて眠りたいに違いない。だったら、抱っこをしたまま、寝かせればいい」。でも、果たしてそれで自分は眠れるのか?

それで、さらに発想を広げてみます。

「飛行機で海外へ行くときには、みんな座ったまま寝るんだから、私は今からこの子とハワイに行く。ここは飛行機の中なんだ……」。

そう思ってソファーに座って、赤ちゃんを抱っこしたまま目をつぶって、ハワイの美しい海を想像してみる。潮の香り、波の音……そうしている間に、私も赤ちゃんも、ぐっすり朝まで眠っていました。

そんな発想の転換をするようになってからは、子どもの夜泣きが怖くなくなりました。そのうちに子どもは昼と夜の区別がつくようになるので、こうした努力はほんの数週間だけのことでした。

また外出中に、子どもが騒ぎ出しそうになることもあります。

電車のなかで子どもがグズリそうになると、私はいつも抱っこして車両と車両の間に移動するか、窓がある一番前の車輌に行きます。そして、外の景色を見せてあげるのです。

乗り物移動中は、「ちょっとゆっくりしたい」と思うのが大人の普通の考えです。でも子どもは、同じ場所にいるとすぐに飽きてしまう。だから子どもと一緒のときは、席で休むより、子どもと景色を楽しむようにします。子どもの気分が良ければ、ママもハッピー。席でイライラするより、ずっと気が楽です。

よく道端で、子どもが泣きながら「抱っこ、抱っこ」とダダをこねている光景を見ることもあります。私はそう言われたときには、いつも素直に抱っこしました。抱き癖なんて気にしません。

確かに重たいなぁと思うときもあります。でも、お金を払ってジムでウェイトトレーニングをする人もいるのだから、運動していると思えば、一石二鳥。子どもはご機嫌になり、自分はダイエットにもなって、一挙両得と思うようにしました。

それでも、もう一人子どもが生まれて、二人を連れて出かけるときには、さすがにいっぺんには抱っこはできません。

私は二人の息子を連れてよく公園へ出かけましたが、長男は、帰り道でいつも遊び疲れて「抱っこ、抱っこ」とねだります。次男を抱いているので、二人を同時に抱えて歩くのは不可能です。そんなとき私は、長男に相談するようにしていました。「疲れちゃったね、ママもよ。どうする、ちょっとここで休もうか？」。夕飯の時間は迫っていますが、それは無視して、しばらく休むのです。

自動販売機から飲み物を一つ買って、ベンチで仲良く飲んだり、団子屋さんでお団子を一本買って、食べながら親子で休むのです。しばらく休んでから、「歩ける？歩いてくれる？」と聞くと、うなずいてくれます。「ありがとう。なんとかママも歩けそう」。そして改めて、歩き始めます。

道端で泣きじゃくる子どもを泣きやませるために大声を出したり、子どもが勝手に走りまわって道路に飛び出したりすることを考えれば、休んだ時間など、たいしたことではありません。

たとえば朝起きたら、決まった時間に朝ご飯を食べさせて、掃除をして、いろいろ準備してから公園に行きたいと思っているのに、子どもは朝ご飯も食べずに公園に行きたいと言います。「ご飯を食べてから行こうね」と何度言い聞かせても、泣きじゃくるばかり。だんだんイライラしてきて、「なんで言うことを聞いてくれないの？」と、ストレスが溜まってしまいます。

こんなときも、私は発想を変えることをおすすめします。

「公園で朝ご飯しましょう！」とサンドイッチやおにぎりを作って、出かけることにするのです。「でも、これは今日だけよ、特別よ」と子どもに言い聞かせます。公園で食べる朝ご飯は格別に美味しいはず。一日の始まりがピクニック、楽しい時間が過ごせます。そうしてあげたことで、子どもは親の愛情を強く感じ、親を信頼するようになるのです。

子どもの体と脳が急速に発育する乳幼児期のしばらくの間は、できるだけ生活のリズムを子どもに合わせる。そう決心することができれば、むしろ気が楽になります。大人の思う普段通りの生活は望まない。その心構えができれば、余計なストレスが減り、親子のコミュニケーションはずっと深まります。そして子どもの情緒も安定して、子育てはより楽しいものになるのです。

6
Instead of scolding, try appreciating

叱らずに
適切に褒めて
育てる

悪いことをやってるときにかぎって
振り向くと、
子どもの悪いクセを助長してしまう。

「子どもは褒めて育てろ」とよく言われます。

しかし、なんでも褒めればいいわけではありません。適切な褒め方をすることが大切です。

一方、叱って悪いところを直すやり方は、むしろ逆効果になる場合があります。「しょっちゅう叱っているのに、何度も同じことを繰り返す。どうして直らないのかしら」と悩んでいる方も多いと思います。

実は褒め方にも叱り方にもコツがあるのです。

子どもには誰もが「かまって！」という欲求があります。褒められるのも叱られるのも「かまい」の一種と子どもはとらえます。もし子どもがいいことをやっているときに周囲の人が褒めてかまってあげれば、いいことは繰り返されます。一方、悪いことをしているときに限って叱ってかまわれると、子どもは、その悪いことを繰り返すようになるのです。

実は、私は小さい頃、お風呂が嫌いで、ちょっと汚い子どもでした。母は私がある程度の汚さを超えると、必ず叱ってお風呂に入れてくれました。叱られているのに、私は母と一緒にお風呂に入れるのが嬉しくて、いつもなんだかんだ言って汚くしていました。

もし母が「あれ、今日はもう顔洗ったのかな？　とっても可愛いよ」と抱っこして褒めてくれたら、きっと私は、毎日顔を洗っていたと思います。

でも忙しい母は、私が汚いときしか振り向いてくれなかったのです。汚いのが自分の取り柄と思った私は、母にかまってほしくて、平気で汚いままでいました。


このようにたとえば、後片付けがあまりできない子に、「早く片付けなさい！」と毎回散らかっているときに限って叱っていると、子どもは無意識のうちに散らかすこと＝かまってもらえると学習してしまいます。叱られることが一種の快感になってしまい、散らかすことをやめないのです。でも、もし、ちょっとでも自発的に片付けようとしたときに、「いい子だね。ありがとうね」と褒めてあげれば、褒められることが快感になり、「また自分で片付けようかな？」と思うようになります。

つまり、叱ってしつけるやり方は、よほど気をつけないと、子どもの悪い癖を助長してしまう可能性がある。

その逆に、望んでいる行動をとってるときに、適切に子どもを褒めていると、その行動は繰り返され、やってほしかったことが継続的にできるようになります。

三男は4歳くらいのときには、上手に食べ物を食べることができませんでした。食べ散らかしたり、いっぺんに口に多く入れすぎたりします。

話に夢中になって、噛むことを忘れるようなこともありました。それを直そうと、最初は何度も口で注意していましたが、なかなか直りません。「あっ、そうだ、褒め育てだ！」と気づいて、それからは少しでも綺麗に食べられたら、「うまく食べてるね。いいね」と頻繁に褒めるようにしました。

時には「ママと二人でイギリスの貴族みたいに上品に食べてみましょうか」と小指を立てて、気取ってみせたりすると、大笑いして、真似をしてくれるようになりました。そうこうするうちにテーブルマナーが身につき、小学校に上がる頃には、もう何の心配もいりませんでした。

ただし、褒めるときには、決して嘘をついてはいけません。全く綺麗な字ではないのに、「綺麗な字が書けたね」などと言っていると、自己評価を間違えてしまいます。そんな褒め方は子どものためにはなりません。

むしろ励まし続けて、本当に「誰から見てもちょっとうまくなったな」と思ったときに、目一杯褒めるのが効果的です。そこから信頼感が生まれて、子どもは「この人は本当のことを言ってくれている」と、その褒め言葉を励みにどんどん成長していくのです。

私が一番よく使った最高の褒め言葉は、「君が君でいてくれて、本当にありがとう」です。

これは心底から思うから言える言葉です。子どもたちは一人一人、必ず素晴らしいものを持っています。その素晴らしい無限の可能性を適切に褒めて伸ばしてあげましょう。

7

Teach by words, not fists

体罰は
絶対にいけない

体罰より説得。
うちではこれを
「お説教」といいます。

どんなことがあっても、決して体罰はいけません。それは最低の教育法だからです。

いつも体罰を受けている子どもは、「力のある人こそ偉い」という間違った考えを持ってしまいます。そして、自分も、自分の思い通りにいかないときは力に頼るようになってしまいます。

体罰は親が子どもより体力があるうちには有効かもしれません。しかし、子どもの力のほうが大きくなったときには、立場は逆転してしまいます。

だから、「力の強い者が弱い者を支配する」という間違った観念を子どもに植えつけてはいけません。

私は子どもが何かいけないことをやったときには、いつも納得するまでとことん話をしました。わが家では、これを「お説教」といいます。

わが家の基本は、まず「嘘をつかない」ことです。

一度、嘘をつくと、その嘘を隠すために嘘をかさねることになり、しまいには親子や兄弟の心に、距離ができてしまいます。だから、「絶対にどんなことがあっても、嘘はついてはいけない」と口を酸っぱくして教えてきました。

長男の嘘に気づいたのは小学校低学年のときでした。日々、漢字テストの勉強を見ていたので、できたのかどうかが気になって、「テスト戻ってきたの？」と聞くと、「まだ」と言うのです。その後、たまたま長男のリュックを整理していると、ぐちゃぐちゃになった漢字テストが底のほうから出てきました。70点でした。

「なぜママに『まだ』と言ったの？」と聞くと、「だって、点数が低いから……」と言いました。この言葉が私の胸にぐさっと刺さりました。

長男は私がいい点数を望んでいると思っている。しかも、悪い点を取った自分を恥ずかしいと思っている……。きっと悪い点を隠したほうが、自分のことをよく思ってもらえると思ったのでしょう。

でも現実には、息子が何点取ろうと、私の彼への愛情は変わらない。がっかりもしないし、怒ったりもしないのに、その気持ちが長男に伝わっていなかったのです。

私は長男を抱きしめて、「なんでママの愛情を信じてくれなかったの？」と聞きました。

長男は最初、キョトンとした顔で、私が何の話をしているのか、わからない様子でした。

そこから「ママがどんなに君を愛しているのか」のお説教を始めました。

「どんな君でも大好きよ、隠すことは全くないよ。ママの愛を信じなさい。一つの嘘を隠すために、次の嘘が必要となる。それじゃあ、ママと心が離れてしまうよ……」と長々と話し続けました。この間、抱き合ったり、泣いたり、休憩をとって何かを食べたり、トイレタイムをとったりして、合計8時間！

最後には「今までママについた嘘を全部リストに書いてごらん」ということになり、長男は可愛い字で、いろいろと書き出してくれました。「一度宿題を出し忘れた」とか「お弁当箱を学校に忘れたことがある」など、どれも些細なことで、二人で読んで笑ってしまいました。

それ以来、長男は私に隠し事をしたことは一度もありません。きっと、「ママの愛情は、何があっても変わらないのだ」と納得してくれたのだと思いますが、さすがに、二度と8時間のお説教はごめんだと思ったのかもしれません。

同じようなことは次男にも三男にもあって、それぞれ長〜いお説教を体験させました。いつも涙と笑いに満ちたお説教ですが、そのたびに親と子の絆が深まり、お互いに成長したように感じます。

よーく話をして、本心から納得させることができれば、その教えはずっと子どもの心に残り、忘れることはありません。

体罰や口で叱った場合、子どもは一時的には謝るかもしれません。しかし少し時間がたつと、同じことの繰り返しということが多いのです。それは子どもの本心に教えが届いていない証拠です。

いくら時間がかかっても、子どもはよーく話せば必ずわかってくれる。そう信じて、時間をかけて丁寧に、とことん話をする。それこそが本当の愛情、本当の教育なのだと信じています。

8

Parents are not peers

友達みたいな親子関係は望まない

親に対して
敬意も感謝もない子どもは
誰からも信頼されません。

私はどんなに親子の仲が良くても、友達のような親子関係は望みませんでした。親は親。子は子。子は親を敬う存在であってほしいのです。そのために親は親らしくしっかり生き方を示し、子どもに恥じない人生を送るべきだと思っています。もちろん親がすべて正しいわけではありません。ただし、何があっても「親は一生懸命に最善を尽くして家族を守っている」ということを子どもたちにわかってもらいたい。そしていざというときには「きっと親が守ってくれる、相談に乗ってくれる」という頼もしい存在でいたい。

そう考えて、私は日々姿勢を正して生きてきたつもりです。

たとえ尊敬できる親とまでいかなかったとしても、少なくとも子どもに信頼される、頼られる親でいたい。そう思って日々、頑張って努力してきたのです。

そしてその分、親に対する子どもの態度や礼儀には厳しい家庭であったと思います。

言葉遣い一つにしても、「いやだ！」とか「うるさい！」とか、そんな失礼な言葉は親はもちろん、目上の人には絶対に言ってはいけない、というのがわが家の決まりでした。人を傷つけるような言葉もうちでは厳禁でした。

ある日の飛行場での出来事でした。私の前に親子が並んでいました。10代の女の子が突然、お母さんに向かって、「死ね。うるせえ、ばばあ」と言ったのです。その母親は黙っていましたが、私はとてもびっくりしました。

そして、思わずその女の子に「お母さんに対して、思ってもないことを言ってはいけません！」と話しました。親子は、けげんそうな顔で私を見ていましたが、私は声をかけずにはいられなかったのです。その晩、息子たちにこの話をして、「もしママが君たちからそんなことを言われたら、ママは一瞬にして、舌を噛んで死んでしまうからね」「思ってもいないこと、人を傷つけるようなことは、絶対に口に出してはいけません」と話しました。そして、「親に対する敬意も感謝もない子どもは誰からも信頼されませんよ」と改めて教えました。

最近は、親を自分と対等の関係であるかのように誤解している子どもがいる一方で、必要なときに、きちんと子どもに注意したりすることのできない親が増えています。私は、そんな「友達親子」にどうしても違和感があります。とくに子どもの親に対する態度が悪いと、人ごとながら本当に胸が痛みます。

アメリカでは親を名前で呼ぶことがあるので、親子関係がフランクで平等であると思われがちです。しかし、実際には親には厳然とした権威があります。

英語の文法の中にもそうした上下関係は表れていて、「母は○○をしています」と言うときに、自分の母親の場合には、かならず「母は」と言わないといけません。「彼女は」と言ったら、文法的な間違いとされ、それはとても失礼な、そしてありえない表現になるのです。それは父親でも祖父母の場合でも同じです。

世界中、どこの国でも親を敬い、大事にするのは当然です。生み育ててくれた感謝の気持ちを忘れて、自分の親を粗末にするような子どもは、ダメ人間として見られてしまいます。

仲がいいのはいいことですが、子どもに勘違いをさせてはいけません。目上の人に対する礼儀と、感謝の気持ちを持つことをきちんと教えたいものです。

第2章

教育が目指す11の目標

こんな人間になってほしい

9

The biggest job for a child is to dream dreams

夢を見られる子に

子どもの仕事は夢を見ること。
教育はそのプロセスを教えるもの。

私はいつも息子たちに「子どもの唯一の仕事は夢を見ることですよ」「パパやママが想像もできないほど、とんでもない大きな夢を見てほしい」と言ってきました。

親が想像できるような夢は、親の限られた考えの中のものなので、子どもにはもっと大きな、未来型の、誰にも想像できないような夢を見てほしいと思います。

子どもが夢を見るからこそ、大人は子どもを応援するために、頑張ることができます。それで社会にも活力が生まれるのです。逆に、もし子どもが夢を見なくなってしまったら、社会は停滞し、人類の発展も止まってしまうでしょう。

教育は、子どもに夢を見ることを教えるためのプロセスです。世界には、いろんな可能性があることを教えて、夢を実現するための道具や知識を与える。夢に向かって歩き出す勇気を持たせる。そして、たとえ挫折しても、立ち直る強さを教えて、達成できたときにも威張らない謙虚さを教える。それが教育です。

だから息子たちには大きな夢を見て、そのために現実的な努力のできる人間になってほしいと思ってきました。

たとえその夢が100%叶わなかったとしても、気づいてみたら夢に近づいていることもあります。夢に向かって努力を続ける。その生きる姿勢が、人生を豊かなものにしてくれるのです。

私の香港の友達にも、ふつうならあり得ないとんでもない夢を見た人がいました。彼女は競馬の騎手を目指したのです。女性はプロの騎手になれない時代でした。しかも、彼女は練習中に落馬して怪我をしてしまい、結局、騎手にはなれませんでした。でも、その代わりに、彼女は騎手を育てる仕事に就き、教え子のひとりは初の女性騎手になりました。彼女の夢が、競馬の歴史を塗り替えたのです。

もう一人、男優になることを夢見た、中性的な女友達もいました。彼女も結局、男優にはなれませんでした。けれども、懸命に努力した結果、有名なＤＪになり、たくさんのファンを持つ人気者になりました。そして香港では初めての中性的なタレントとして、テレビで自分の番組を持つようになり、一世を風靡したのです。

彼女たちは自分の夢を、１００％実現することはできませんでした。しかし、彼女たちは社会の意識や常識の壁を乗り越えて、自分の居場所をしっかりと獲得することができたのです。夢はどんなに遠くても実現が難しそうに思えても追い続けることができます。

笑われるかもしれませんが、私の夢は、歌を通じて世界平和に貢献することです。17歳で遠い外国であった日本にやってきたのも、アジアや中国で歌ってきたのも、歌を通じて日本とアジアの友好の懸け橋になりたいという思いがあったからです。ユニセフ大使としての活動の原点にも、同じ思いがあります。もちろん、現実には私の夢もまだ道半ばです。しかし、私は決して諦めません。諦めなければ、夢は一生見続けることができるからです。

子どもたちには、果てしない、とてつもない大きな夢を見てほしい。そのために教育をする、そのために親は頑張るのです。教育の要は、子どもたちに夢を見させて、その夢に近づけるように努力させることなのです。

10

Having self-esteem is the key to happiness

自己肯定ができる子に

子どもを人と比べない。

「人は人」「自分は自分」。

教育が一番最初に目指すものは「セルフエスティーム」(自己肯定感)といわれています。

私が児童心理学や教育学を学んできた中で、セルフエスティームは児童教育に欠かせないキーワードでした。なぜ、セルフエスティームがそこまで重要なのか。

それは自分の存在を認める心が、人間形成の基盤になるからです。自分を好きになれない子は、人も好きになれない。自分を否定する子は、人も否定してしまうようになるのです。

では、どうすれば子どもにセルフエスティームを持たせることができるのか?

まず大切なのは「人と比べない」ことです。

私の三人の息子は、みんな違う個性を持っていました。みんな違った「いいところ」がありました。

長男は真面目で正義感の強い子。次男はアーティスティックで感情豊かな子。三男は社交的でコミュニケーション能力の高い子。

私はとにかく、それぞれのいいところを伸ばすことに集中しました。「お兄ちゃんみたいになりなさい」なんて、言ったことは一度もありません。

そもそも人間は、誰しも完璧ではありません。良いところもあれば悪いところもあって当然なのです。親が自分の子を、兄弟や他人と比べたりして、その子のありのままの存在を否定すると、子どもは自己肯定感を持つことが難しくなります。

夫は子どもたちに口癖のように「人は人、自分は自分。たとえ100人の人が自分と違う意見を言ったとしても、自分が正しいと思ったことは堂々と意見を言うんだぞ」と話していました。私も、「人と違っているのは悪いことじゃない。むしろ人と違っているのは〝恵み〟なんだよ」と教えてきました。

普段からそういう話をしておくと、子どもは「無理に人に合わせることはないんだ。自分は自分のままでいいんだ」と自然に思うようになります。

もちろん、社会的なルールや共同生活のルールなどは守らなければなりません。しかし、「自分の考えや生き方は、誰にもしばられることはない」、「自由に発想して、思い通りに発言してもいいんだ」、「周りの人もそれを認めてくれるんだ」と思うと、子どもは自信を持ってありのままの自分を好きになり、自分自身を価値のある存在だと思えるようになります。

そうしてセルフエスティームが持てれば、自分の良いところをどんどん伸ばすことができます。そして欠点さえも受け入れて、それを前向きに直していくこともできるようになります。

反対に、セルフエスティームを持てない子どもは、自分のことが好きになれずに、いつもイライラしていたりします。怒りっぽかったり、人間関係をうまく築けなかったりして、なかなか物事に前向きに取り組むことができません。そして結果的に、学力や成績にも悪い影響が出てしまうのです。

「人と比べない」ということは、ありのままの子どもの存在を認めてあげることです。勉強ができてもできなくても、運動が得意でも下手でも、関係ありません。ですから、「〇〇ができたらごほうびをあげるね」というような条件付きの愛し方もしてはいけません。それは子どもに「この条件を満たさなければ、自分は価値がない」と思わせることになり、自信をなくさせる原因となります。しかもごほうびがないと努力しない癖がついてしまいます。

「できるからいい子」なのではなく、「努力するからいい子」なのです。子どもにとって最高のごほうびは、周囲の愛情。子どもの価値は、何かができてもできなくても少しも変わらないのです。

11
A heart big enough to accommodate others

心に
余裕がある子に

心に余裕がある子は人を思いやり、
自分を大切にします。
心に余裕がない子は、
嫉妬心、差別心を持ってしまいます。

セルフエスティームを持っている子どもは、心に余裕があります。

心に余裕があると、自分よりうまくやっている子どもがいても、「わっ!すごい、あの子上手!」と、人の喜びを自分の喜びのように感じ、たくさんの喜びを感じる子どもになります。しかも、「人は人、自分は自分」と人が自分よりうまくやっていても、羨ましがることもなく恥じることもない。だから、勉強でも運動でも遊びでも「私もうまくなりたいから、教えて」と素直に人に頼むことができるのです。

反対に、セルフエスティームが低くて、自分を肯定できない子どもは、他人のことも認めることができません。

自分よりうまくできる人を見ると、「羨まし過ぎる」「あいつばっかりが」と不快感を覚え、嫉妬心が生まれてきます。極端な場合は「いつもあいつはいい気になってる、足をひっぱってやろう」と攻撃的になることもあります。

自分よりうまくできない子、弱い子を見たときも同様です。セルフエスティームがあって、心に余裕ある子どもは、人に親切にできる大きな心を持っています。それで自分より弱い子を見ると、「助けてあげよう」と自然に思うことができます。

一方、心に余裕のない子どもは、「あっ、あいつはレベルが違うね。あんな子とは一緒に遊べないね」と、ちょっとした差別心を持ってしまうのです。極端な場合は「弱いからいじめてやろう」と人をいじめて、困っている姿を見て、優越感を得ようとする場合もあります。

しかし、そんな優越感は決して長続きしません。それで同じ快感を覚えるために、さらにいじめをエスカレートさせたりしてしまうのです。この一線を越えてしまうと、子どもは善悪の区別ができなくなります。自分が悪いことをやっていても、悪いと思わない。素直に謝らない。何とか言い訳を言って、自分の責任から逃げるようになります。そんな毎日が楽しいはずはありません。いつも、何かが足りない、不平、不満続きの日々。こうして自己肯定ができない子どもは、日々の努力を前向きに積み重ねることさえ苦手になってしまうのです。

私は息子たちのセルフエスティームを高め、心に余裕を持たせるために、いつも「あなたはあなたのままでいいよ。自分を信じて。あなたの可能性は無限大。一緒に良いところを伸ばしていこうね」と言い聞かせてきました。そして、「人に親切にしようね。自分を守るためには、人も守らなきゃいけないよ」と話してきました。

そうした話は、特別なことではありません。自然に、息をするように、日常的に繰り返し繰り返し話したのです。

そのせいか、三人の息子とも、人を嫉妬したり、差別したりすることもなく、自分自身を信じる素直な子どもに育ってくれたと思います。

次男が5年生のときに、こんなことがありました。

「ママ、友達が校庭で泣いていたんで連れてきた」と、家庭の問題で家に帰れずにいた女友達を連れて帰ってきたのです。「帰る所がないから、家に泊めてあげてもいいでしょう？」と言うのです。彼女は学校で、先生にも頼んだのだけれど、断られたのだそうです。母親と連絡を取ることもできず、一人で泣いていた女友達に声をかけてあげた次男。その優しさに感激して、私は問題が落ち着くまで2週間ほど、女友達を家に泊めることにしました。彼女をなぐさめる次男の姿にたくましさを感じました。

人を思いやり、人を愛せる心豊かな子どもに育てること。心に余裕がある子に育てること。そのためには、セルフエスティーム教育は、必要不可欠なのです。

12

Encourage your child to express and exert

自分の才能を伸ばせる子に

秘めた可能性を
潰してはいけない。

私はすべての人間は、何かしら得意なものを持って生まれていると思っています。では、なぜ才能を開花させる人がいて、才能を発揮することなく終わってしまう人がいるのか？　その差は、セルフエスティームを持っているかどうかの違いだと思います。

セルフエスティームを持っている子は、無邪気に自分が持っている良いものを表現することができます。それによって周囲がその才能に気づき、可能性を伸ばせるようになるのです。そうした子どもの才能や可能性に気づくために、まず親は子どもを注意深く観察しなければなりません。そして、子どものどんな行動でも面白がってあげることが大切です。周囲が子どもの言動を肯定し励ましてあげると、子どもはますます自信を持って、いろいろと表現してくれます。そうやって、子どもは自分の個性や才能を開花させることができるのです。

一方、自信をなくした子どもは、自分の持っている良いものを外へ出さなくなります。「こんなことを言ったら笑われるかな？」「人と比べられるかな？」と思ってしまうからです。そのうちに、自分の良い点を忘れてしまったり、諦めてしまったりするのです。

子どもの秘めた才能は、子どもが外へ表現してくれることで、初めて発見されるものです。誰も気づかないうちに、その才能や可能性が消えてしまうのは、とてももったいないことだと思います。

私はとにかく息子たちをよく観察しました。そして少しでも何かに興味を示すと、積極的に励ましました。

長男が初めて料理に興味を示したのは3歳のとき。私は彼を台所に迎え入れて、子ども用の包丁を与えて料理を教え始めました。

まずは流し台の前にイスを持ってきて、その上に立たせて野菜を切らせたりしました。そのうちに一緒にケーキやパイを作ったり、餃子の皮作りをしたり、洗い物をしたり。とにかく長男がやりたいと言ったことは、面倒くさがらずにやらせるようにしました。

彼は空想の釣りゲームも大好きで、船に見立てたベッドの上から糸をたらしてよく「釣りごっこ」をしていました。「釣れた、釣れた」と言うので、「今のは何?」と聞くと、「タイ」とか「サンマ」とか「タコ」とか答えます。「じゃあ、どうやって食べようか？」と聞くと、「焼き魚」とか「蒸して、ねぎじょう油で食べる」とか、いろいろ面白い答えが返ってきます。「それじゃあ、今夜は本当にその料理を作ってみよう」といって、一緒に台所に立つと、ああしよう、こうしよう、とどんどん意見が出てきます。

一つ興味のあることを伸ばしてあげると、さらに興味はどんどん広がっていきます。長男は5歳ぐらいには魚類図鑑を隅から隅まで読むようになり、ちょっとした魚博士になりました。そして小学校に上がる頃には、夫に教えてもらって魚をさばくこともできるようになっていました。

そして今では私も顔負けの料理マニアになっています。

このように、趣味でもスポーツでもどんな分野でもいいのです。とにかく、興味のあるものを伸ばしてあげて、好きなことを自由に表現させてあげましょう。好きなことをやっているときの子どもは、生き生きしています。その好きなこと、得意分野を見つけ出し可能性を伸ばしてあげることは、結果的に勉強にもつながります。

「あなたの考えを話して！」と、どんどん自由に自分を表現させ、子どもの良いものをすくい上げてあげましょう。

13

Learn to forget yourself

「忘我」が
できる子に

自分の行動が
誰かの役に立てると実感したとき、
セルフエスティームは回復します。

大半の子どもは親の愛情によって自信を持つようになります。でも、何らかの原因で、セルフエスティームの低い子に育ってしまう場合があります。それでも、諦める必要はありません。セルフエスティームは回復ができるのです。

実は私もセルフエスティームの足りない子どもでした。

六人姉弟の4番目で、三人姉妹の一番下だった私は、いつも美人の姉と勉強のできる姉と比べられていました。そのせいで、私はいつも「自分には何の取り柄もない」「私って何てかわいそうな子なんだ」と思い悩んでいました。

母はよく「アグネスを妊娠したときは家計がいちばん苦しかったから、何か足りなかったのかもしれないわね」と周りに謝っていました。その言葉を聞くたびに、「自分は欠陥商品だ」と思い込み、性格もだんだん暗くなっていきました。

私は自分に全く自信のない、コンプレックスだらけの子どもだったのです。

そんな私に転機が訪れたのは、中学1年生のとき。ボランティア活動を始めたことがきっかけでした。ボランティアの現場で出会ったのは、身体が不自由な子、難民の子、少女院や孤児院で暮らしている子どもたち……。それまで想像したこともなかった過酷な環境で生活している同世代の子どもたちと出会って、私は自分がいかに恵まれていたのかに気づきました。自分の悩みが、どんなにちっぽけだったのかがわかったのです。

「みんなの笑顔を少しでも取り戻したい」。そう思った私は、必死で彼らに話しかけ、励ましました。歌が大好きだった私は、学校の昼食の時間に歌を歌って、子どもたちのために皆から食べ物を集めたりしました。

そして、気づいてみたら、自分自身が明るく行動的になり、友達も増えて前向きになっていました。そしてボランティア活動のためにあちこちの学校で歌うようになり、それが話題になって、私は香港で14歳のときにスカウトされ歌手としてデビューしました。私には私なりの取り柄があったのです。

なぜ私はセルフエスティームが回復できて、自分を信じられるようになったのか？

それは、きっとそのとき、私が「自分のことを忘れた」からです。

目の前の子どもたちのことのほうが自分の悩みよりずっと重要だと感じて、無我夢中でボランティア活動に取り組むうちに、私は自分のコンプレックスなど忘れてしまったのです。それで人の目を気にせずに自己表現ができるようになり、心の奥に秘めていた自分の良さを発揮できたのです。

息子たちには、「思い切って自分の中のエネルギーを外へ出すように」と話してきました。「自分のことを心配するよりは、周りのことを考えて。周りとは家族や内輪だけでなく、社会や世界のことだよ」。そう言い聞かせてきました。

そして幼い頃から一緒にユニセフの街頭募金に参加したりしました。中学校では地域のボランティア活動にも参加しました。三人の息子とも、高校からは夏休みを利用して、カンボジアやタイでボランティア活動に参加しました。東日本大震災のときも、被災地を訪ねて活動していました。

三人とも自分のことを忘れて、人のために無我夢中になることによって、自分の心に余裕を持つことができたのだと思います。

もし、あなたの周囲にセルフエスティームが低い、自信のない子どもがいたら、自分自身を忘れて「忘我」になれるものを探してあげてください。

近所のゴミ拾いや、学校でいじめにあっている子に声を掛けることや、体の不自由なお年寄りの荷物を持ってあげることなど、どんな些細なことでもいいから、人のために自ら動くことをすすめてあげてください。

自分の行動が誰かのためになり、自分が人の力になって、周りの役に立てると実感したとき、その子は自分自身が本来持っている素晴らしい価値に気づくはずです。

そうすれば、セルフエスティームは回復できます。自信が回復したら、その子の成長は明るい未来に向かうのです。

14

Be thankful for everything

感謝の気持ちを持てる子に

「おかげさまで」の心を持たないと、
どんなにお金を持っていても貧しい人間。
どんなに人に囲まれていても、
寂しい人間になります。

日本語の中に、私が大好きな言葉があります。それは「おかげさまで」です。

「あなたは生まれてから今日まで、誰かのおかげで生かされているのよ」ということをよく息子たちに話しました。日本で便利な生活をして、何の苦労もなく育てられてしまうと、子どもたちは今の生活が当たり前と思ってしまうのです。

でも、実際には、快適な生活の裏で、たくさんの人が24時間働いています。道路や水道や電気など基本的なインフラの管理、ゴミの収集。コンビニの商品でも、それを運んでくる人がいるのです。家の中でも、掃除、洗濯、炊事など、すべて誰かがやってくれているから、子どもは安心して成長することができるのです。

発展途上国には水道も電気も道路も学校もないところがあります。病気になっても病院さえありません。戦時中の国となれば、命を守ってくれる人もいません。親を亡くした子どもは、小さい頃から働いたり、物乞いをしたりしなければ食べることさえできません。そういう状況を考えると、日本での自分の生活がいかに恵まれているのか実感できるはずです。

息子たちには、よくユニセフの海外視察で出会った子どもたちの話をしました。

スーダンでお父さんを亡くして、児童兵士になった12歳の男の子の話。お母さんに売られて、カンボジアからタイに連れ去られ、売春の仕事を強いられた11歳の女の子の話。フィリピンのストリートチルドレンの過酷な毎日……。こうした話をきちんとすれば、小さいながらも子どもには、海外の子どもたちの大変さがわかります。そして、いかに自分が恵まれているかが、実感できるのです。

「おかげさまでの心や、感謝の気持ちを忘れると、どんなにお金を持っていても貧しい人間になる。どんなに人に囲まれていても、寂しい人間になるよ」と、いつもいつも息子たちに話してきました。

息子たちは「ご飯に感謝」「水に感謝」「電気に感謝」「命に感謝」とおかげさまでの心をよく理解してくれて、常に周囲に感謝の気持ちを持つことを忘れない子になりました。

その教育のせいか、彼らはどんなに厳しい状況でも、まず文句は言いません。そしてモノはあまり欲しがりません。

つい先日も、アメリカから帰国していた三男の古びた靴を見て、私は「新しいのを買ったほうがいいよ」とすすめました。でも、「全然まだ履けるよ。勿体ない。買う必要ないよ」と断るのです。それがいつものことです。三人の息子とも、時には私が恥ずかしくなるくらい服も靴もボロボロになるまで身につけるのです。見た目は全く気にしません。「物を大切に」「おかげさまの心を持って」「感謝の気持ちを忘れずに」という教えは、しっかりと息子たちの脳にインプリントされたようです。

15

Think about the things money cannot buy

お金に
支配されない子に

お金で買えない
愛情、友情、ぬくもり、思い出が
人生を豊かにしてくれます。

「子どもに金銭教育をする」というと、一般的にはお金の大切さを教えて、自分で計算して物を買わせたり、お小遣いをあげて使い方を考えさせたりすることのようです。

私の場合は、息子たちにお金で物を買うことを教えるよりも、お金で買えないものを教えることからスタートしました。

お金はとても大事だけれど、お金に頼りすぎるとお金に支配されてしまいます。人生で一番大切なものを、お金のために失ってしまう人もたくさんいます。

だからまず、「お金がなくても、楽しいことはいっぱいある」、「お金より大事なものがいっぱいある」ということを教えました。

わが家では基本的に自由に使えるお小遣いは渡さず、プレゼントも年に2回だけ。クリスマスにサンタさんが運んでくるものと、それぞれの誕生日にパパとママから渡すプレゼントです。

私は、おもちゃを買い与えるよりも、体と頭を使った遊びを教えたくて、幼児の頃からよく子どもと一緒に体を使った遊びをしました。

「にらめっこ」や「だるまさんが転んだ」や、立ったままで手と手で押し合う「押し相撲」、そして、それぞれが俳句を詠みあう「俳句大会」や、誰がいちばんことわざを知っているかを競う「ことわざマラソン」など……。皆が集まると、いつでもどこでもこのような遊びが始まるのです。

こうした遊びは、運動にも脳トレにもなるので一石二鳥。子どもたちはいつまでも飽きずに遊んでくれました。幼稚園や小学校の頃は、家族でチェスをしたり、トランプやUNOをしたりするのが大好きでした。相変わらずお金のかかる遊びはあまりしませんでした。たまに家族でテーマパークに行くことはありましたが、ゲームセンターへ行って遊ぶようなこともしませんでした。

息子たちは、お金をかけずに遊ぶ方法を自然に身につけ、結果的にあまりモノを欲しがらない子になりました。時々、おもちゃ屋さんで、「これ買って！」と泣き喚く子どもを見かけますが、わが家にはなかったことです。

「おもちゃはすぐに飽きちゃうからいらないよ」と言います。たまに出先で、「お土産を一人一個ずつ買いましょう」と言っても、丁寧に選んで、結局いつも小さな安いものしか手に取らないのです。

そんな息子たちが、現金を手にすることが年に2回あります。お正月と旧正月です。パパやママや親戚からもらうお年玉です。

これはかなりの金額になるので、「使いたい分を残して、後は貯金しましょう」と、一部は本人に持たせて、残りはすべて貯金していました。

わが家では高校生になるまで、基本的にはお小遣いは渡しませんでした。それで、お金が必要なとき、たとえば友達と出かけたり、友達のお誕生日のためにプレゼントを買ったり、遠足でお土産を買うためのお金などはそのつど渡していました。

最近になって、「不自由だった？」と聞いてみました。そうしたら、「全く不自由なんて感じなかったよ。別にお金が必要と思ってなかったし、必要なときはもらえたから」と息子たちは口をそろえました。「家族が一緒にいる時間が一番の贅沢だ」と、息子たちは早くからわかっていたのでしょう。

お金で買えない愛情、友情、ぬくもり、思い出などが人生を豊かにしてくれます。そのことを早くから教えるか、教えないかで子どもの金銭感覚も違ってきます。

「お金がすべてで、お金さえあれば、何でもできる」などと勘違いしがちな世の中ですが、決してそんなことはありません。お金に頼らず、お金に支配されず、楽しく生きる。そんな生き方につながる金銭教育が子どもたちには必要なのです。

16

Don’t be afraid to be different

出る杭になる
勇気ある子に

みんなと違っているのは
むしろ恵みです。
社会は自由な発想が
できる人を求めています。

日本の社会には、「平均的でいるのが一番無難」という風潮があるように思います。目立ちすぎると何かと睨まれたり、自慢げに見えたりするので、「おとなしくて目立たないのが一番」と、子どもたちも無意識に自己防衛しているのかもしれません。

しかし、「何事も日常を乱さず、総合力で勝負」という従来の考え方は時代遅れです。これからの時代は、人と違った考えが求められるようになります。毎日新しいものが求められる世の中なので、自由な発想で、人と違った新しい流行を生み出せる人が必要とされているのです。

そういう人になるためには、人の目を気にせずに、自分の心を自由にすることが大事です。これは自分に自信がないとできません。学校で人と違ったことをして、いじめられても、笑われても、自分の「個性」を大事にできる子が、むしろ今、世の中が求めている人材です。

多くの大学も、このような人材を求めています。

「無理にみんなと同じになることはない」と、私はいつも息子たちに言ってきました。そして、「変わっているね」と言われる子がいると、「あの子いいね。とってもスペシャルだね」と積極的に褒めるようにしてきました。このようにして、子どもが「個性」を出しやすい雰囲気を作っていくのです。

私は子どもに、簡単に人に合わせるような人間になってほしくないし、人に好かれるために自分の意見を曲げて妥協するような人間にもなってほしくなかったのです。だから、「長いものに巻かれる人間になるより、たとえ打たれることがあったとしても出る杭になったほうがましだ」と教えてきました。

これは彼らがアメリカに留学するようになってから、大変に役に立ちました。アメリカは個の意見を大事にする国です。人の意見に合意するときも、反対するときも、自分の見解を話せない人は信頼されません。みんなに合わせるだけでは、「何も考えていない、無能な人」と見られがちです。

おかげさまで、息子たちは自分の自由な考えを、照れずに人に言える人間に育ったと思います。それが一番できるのは長男。彼は常に独創的な発想を持っていて、進んで意見を言います。

次男は、話がくだらないと思ったときは無口ですが、関心のある話題になると、相手を納得させるまで話す話術を持っています。三男は、笑顔でわかりやすく説明できるのが最大の武器。プレゼンテーションの上手さは小学校時代から評判でした。

三人はそれぞれ態度は違うけれど、みんなと違った意見を持ったり、人と異なる振る舞いをしたりするのを恐れることはありません。

みんなと違っていることは、むしろ恵みであり、最大の武器でもあるのです。

17

Failure is the key to the next big thing

失敗を恐れない子に

失敗は決して悪いことではない。
失敗を恐れて動かないのが
一番よくないのです。

「失敗しても次の段階に行くためのワンステップにすればいい、何事も無駄はない」

「ただ失敗をどうやって成功の元にするのか？　それだけが課題です」。

息子たちには、そう教えてきました。

私は自分に起きたことは、すべてに意味があると思っています。成功にも理由があり、失敗にも意味があるのです。その意味がわかったとき、その出来事の意義が出てきます。

その意味を理解することができれば、さらなる飛躍が見えてきます。その意味がわからなかったり無視したりすれば、成功してもそこまで、失敗したら立ち直ることはできません。

失敗は決して悪いことではない。失敗を恐れて動かないのが一番よくないのです。

人は時々、失う物があると、守りの姿勢に入って、新しい試みに挑戦できないと思ってしまうときがあります。しかし、現状にしがみついているのは危険です。

現状に満足して停滞している人は、周りが前進していれば、後退しているのと同じです。時代は流れ、人は動くものです。自分だけが停滞していると、持っている物も失ってしまいます。お金や物や名声や地位に執着心を持ちすぎると、人間は失敗を恐れて挑戦できなくなるのです。

だから息子たちには「どんどん前に行きなさい。万が一のときの最低限の備えは必要だけど、その他には失うことを恐れずに、やりたいと思ったことにどんどん挑戦しなさい」と言って背中を押してきました。学校を選ぶときも、転職するときも、自分の信じた道に進むことを応援しました。

実は、三人の息子たちが通ったアメリカの高校、「サッチャー・スクール」の進学相談の先生に、三人の息子とも「少し点数が足りないから、スタンフォード大学への進学は難しいかもしれない。いくつかの科目のテストで失敗したでしょう……」と言われたことがあります。

その言葉を聞いてからの、息子たちの頑張りは見事なものでした。苦手な科目の担当の先生に、自分の弱点を聞きにいって、必死で勉強して、最後の学期までには点数を取りもどしたのです。むしろ、一度テストで失敗したからこそ、彼らのチャレンジ精神に火がついたのです。

そこでもし、進学相談の先生のアドバイスを聞いていたら、息子たちはスタンフォード大学に入学していないと思います。

「失敗した。もっと勉強しておけばよかった」と諦めずに、「まだ時間がある。不可能を可能にするぞ」と、攻めの姿勢でチャレンジした結果、彼らは自分自身に勝つことができたのです。まさに、失敗は成功の元なのです。

18

When in doubt, choose the hardest path

難しい道を選ぶ子に

常に一歩上を目指す
チャレンジ精神は、
世界に通用する人間の条件です。

「迷ったときには、一番難しい道を選びなさい」

これは父が私に遺した言葉です。とても役に立つ言葉なので、私も息子たちに教えました。

たとえば、「宿題があるけれど、テレビも見たい」そんなときはどっちが難しい道なのか？

当然、宿題です。そうしたら、迷わずに先に宿題をやってからテレビを見ることです。

たとえば、「スタンフォード大学を目指すのか、その他の大学を目指すのか」迷った場合には、スタンフォード大学のほうが難しいから、スタンフォード大学を目指すのです。

このように難しい道を選ぶと、その分、多くの努力をしなければなりません。でも、その結果、自分をより高めることができるのです。

「謝るのか、謝らないのか、どうしよう？」と迷ったとき、より難しいのは謝ることなので、謝ることにします。

「人に声をかけたいけど、恥ずかしい……どうしよう？」と迷ったときにも、この言葉を思い出して、声をかけます。

このように、「迷ったときには、一番難しい道を選びなさい」というのは、人間付き合いでも、もう一歩踏み出す勇気をくれる言葉なのです。

とくに三男はこの言葉が好きで、自ら実践してきました。スタンフォード大学に挑戦することを決めたのも、彼自身です。

その願書を書いているとき、深夜になっても終わりません。「もう明日にすれば……、そろそろ寝たほうがいいよ」と水を向けました。眠るのか、続けるのか。もちろん眠るほうが楽に決まっています。でも彼は「もう少しだから、やっちゃうよ」と言って、何度も何度も論文を見直しては書き直していました。

「いいね、完璧じゃない」と私が読んで、納得した文章でも、「いや、もうちょっと」と、さらに文章を磨くのです。

「僕はあえて難しい道を選ぶ」。そう自分の中で納得していれば、どんなに苦労があっても努力して、迷わず前に進むことができます。

息子たちを見ていると、それぞれが決して簡単で楽な道を選んでこなかったことがよくわかります。

常に一歩上を目指して、自分にチャレンジする精神は、世界に通用する人間の大切なモチベーションです。

あえて難しいことに挑戦し、たとえ居心地の悪い場所でも我慢してねばり強く努力を続けて成功を目指す。その心構えの基本は、「大事な選択をするときには、常に一番難しい道を選ぶように」という、私の父の教えにあるように思います。

19

No one is a nuisance to anyone

「恩返しの心」を持つ子に

人は迷惑をかけ合って、
助け合って生活をしている。

日本の家庭教育の定番の教えに「他人に迷惑をかけるな」があります。

しかし、私はこの教えは、一歩間違うと、子どもに誤った価値観を持たせてしまう不十分な教えだと思っています。

「他人に迷惑をかけるな」というのは、まるで「今は他人に迷惑をかけていない」といっているのと同じです。でも実際には、人間は生まれたときから、みんな迷惑をかけ合って生きています。

たとえば、息をしているだけでも、二酸化炭素を出しているのですから、地球温暖化は悪化します。だからこの世界には「全く誰にも迷惑をかけていない人」など一人も存在しないのです。

もし、迷惑について教えるならば、本来は「人はみんな迷惑をかけ合っていて、それを許し合って生きている。だからその分、周囲に対して感謝の気持ちを持って、恩返しの行動をするように」というほうがよいのです。

そもそも、迷惑とは何でしょう？　それは「他人に不快な思いをさせること」「他人を傷つけること」「他人のものを盗むこと」「警察のお世話になること」というような基本的なことでしょう。でも、子どもによっては、この迷惑の定義を間違って受けとってしまう場合があるのです。

たとえば体が不自由な方、赤ちゃんやその母親、お年を召した方、ホームレスの方などは、周囲の理解と支えを必要としています。そうした社会的弱者の方は、時には周囲から違和感を持って見られることがあります。それを「自分は健全で元気で誰にも迷惑をかけていないのに、あいつらは周囲に迷惑をかけている」と勘違いしてしまう子どもがいるのです。そして、その結果、人を差別したり、いじめたりするようになるのです。

さらに、「他人」って誰でしょう？　自分以外のすべての人？　家族以外の人？　日本人以外の人？

「他人」という言葉は、人を自分の所属しているグループとその他のグループに区別する言葉です。しかし、グローバル化が進んでいる今、人類全体が人種や性別や宗教や主義主張の違いを超えて、共生していく道を探っています。健常者も障がい者も、一緒に共生していけるインクルーシブな社会を作るためにも、「他人に迷惑をかけるな」という教えは、もはや時代遅れなのです。

しかも「迷惑をかけるな」という教えがあると、自分が困っているときでも人目を気にし過ぎて、素直に人の助けを求めることができなくなります。「人に迷惑をかけてはいけない」「社会の迷惑になりたくない」とやせ我慢をして、食べる物もないのに、福祉を受けることもせず大惨事になることもあります。

だから私は息子たちに「人間はみんな迷惑をかけ合って生活している。そして助け合って生活しているのだから、周りの人に感謝し、恩返しをしないといけません」「自分が元気なときは、すすんで人を助けなさい。でも自分が困ったときに、人に助けてもらうのは、決して恥ずかしいことでも迷惑なことでもない。みんなお互い様よ」と教えてきました。

自分も、自分の家族も、学校の友達も、学校以外の友達も、日本人も外国人も、健常者も障がいのある人も、赤ちゃんもお年寄りも、「みんな地球に生きる人」で、みんな大事な存在なのです。

むしろ「この世には迷惑な人などいない、みんなで支え合って生きていきましょう」と教えることが、心優しい子供を育てるための指針となるはずです。

第3章

子どもに与えたい16の力

勉強にも役立つ

20

Watch, listen, touch, and meet

頭脳力

「見せる、聞かせる、触らせる、会わせる」。

脳の中のシナプスを増やそう。

幼児期の子どもには、できるだけいろんな体験をさせて、五感を刺激してあげることが大切です。それは脳細胞につながるシナプス*が活発に増える時期だからです。人間の脳細胞はほぼ同じ数です。でも細胞をつなぐシナプスは人によって違います。シナプスが多ければ多いほど、脳の回転は速くなるといわれています。子どもの可能性を伸ばすためには、できるだけ脳細胞につながる回路を増やすことなのです。

子どもの脳は、真っ白い画用紙のようなものです。何もかもが新鮮で初めての経験です。一つ一つ見て、聞いて、触れることにより、脳が刺激され、新しい回路が作られます。そのために、できるだけ毎日、違うこと、違う刺激を与えてあげたいのです。

よく「子どもには毎日時間を決めて規則正しい生活をさせたほうがよい」といわれています。しかし、同じことの繰り返しは、むしろ脳の発達を低下させる恐れがあります。

たとえば、公園に通うのでも、昨日が近所の公園なら、今日はバスに乗って、遠くの公園へ行ってみる。時には海岸に行ったり、森へ行ったりすることが、子どもには必要です。

食べ物でも、できるだけ多くの種類、いろんな味を体験させるべきです。そして、たくさんの人と出会わせて、いろんな言葉を聞かせることも脳の成長に繋がります。さまざまな物や動物を触ったときの感触、温度、匂いなども、脳の成長にとってはいい体験です。五感を通して、脳にどんどん情報を送り込むことが大切なのです。

教育者の間では、「3歳までにいろんな体験をさせて、6歳までに上手に社会参加ができるようにして、8歳までにIQを高めて思春期に備えることが大切だ」といわれています。これは8歳までに一番多くシナプスが作られるためで、8歳以降は使わないシナプスは消滅するといわれています。その頃から得意・不得意、好き・嫌いがはっきりしてくるのです。

だから8歳になるまでに、できるだけ多くの物を見せ、聞かせ、触らせ、人に会わせてシナプスを複雑にしていくことが必要です。そうすると8歳以降に、徐々に取捨選択をするようになったとき、選択肢の幅が広がります。それによって、子どもの可能性も広がるのです。

個人差もあるので、なかなか計画通りにはいきません。それでも私は、息子たちの脳の発達段階を意識して、できるだけ多くの刺激を与えるようにして、彼らの成長を見守ってきました。

好奇心が旺盛で、何事にもポジティブで物怖じしない子どもに育てるためには、幼児期の豊富な体験が欠かせません。

子どもの可能性に蓋をしないためにも、子どもには多くのものを見せて、聞かせて、触らせて、人に会わせて、世の中を見せてあげたいものです。

＊シナプス—神経情報を出力する側と、入力される側の間に発達した情報伝達のための接触構造である。

21

Read lots and lots of books

読解力

勉強が好きな子にするために、
本好きにするのが第一歩です。

21

日本は世界のなかでも絵本の種類が豊富な国です。

私は、息子たちの首がすわる前から絵本を与えました。理解しているかどうかもかまわず、寝転んで、時間があるたびに本を開いて読み聞かせをしました。

最初は目で追うだけでしたが、そのうちに同じ絵を見せると笑ったり、ページをめくるのを催促するようなそぶりをしました。お座りをするようになると、今度は自分で本をめくろうとします。そして言葉を発する頃になると、読んであげた絵本のほとんどを暗記してしまっているように見えました。

早めにひらがなを覚えさせたので、3歳くらいからは、自分で絵本を読むようになりました。

さらに、読み聞かせだけでなく、私はいつも「次は君がママに読んでね」と絵本を読んでもらうようにしていました。自分で声に出して読むと、内容がより頭に残ります。そして読み終わったら、今度は「パパにその本の内容を説明してね」と頼むのです。人に説明するためには、よく内容を理解して短く伝えないといけないので、とてもいい頭の体操になります。絵本一つでも、たくさんの頭の訓練ができ、学習に必要な読解力も育てられます。

5歳ぐらいからは、児童文学をそろえてあげて、図書館にも頻繁に足を運ぶようになりました。長男はノンフィクションが大好きで、偉人の伝記や自然科学の本を好んで読んでいて『ファーブル昆虫記』や『シートン動物記』なども、すべて読みました。

次男はファンタジーやフィクションものが好きで、『白鯨』や『トムソーヤーの冒険』など、名作を読破しました。三男は本なら何でも好きなので、お兄ちゃんたちの本まで読みあさりました。

日曜日は家族そろって本屋に行って、好きな本を買って、喫茶店でお茶を飲みながらそれぞれが読書。読み終わると、お互いに本の内容を説明し合って、本を交換したりもしました。

この習慣は子どもの頃から今まで、ずっと続いています。つい先日も、帰国した三男が「ママ、『The Martian』（火星の人）読みました？ 僕、飛行機で読んだから、あげる」と本をくれました。私は「ジョン・グリシャムの新しい本を持って行っていいよ」と、私が読んだ本を彼に渡しました。

実は、文字を読むのが好きな子は、教科書を読むのも苦にならないのです。小学校のときには、教科書をもらったその日に最後まで読んでしまうほど、息子たちは文字が好きでした。勉強が好きな子にするためには、まず本を読むのが好きな子にすることが第一歩なのです。

22

Train to concentrate

集中力

集中力なくしては、
どんなことも効率よくできません。

どんなことをやるにしても、集中力がないと効率よくできません。勉強も同じです。

集中できる子は、能力を無駄なく課題に注ぐことができるので、勉強も短時間で済むし、良い成果につなげられます。でも、気持ちが散漫だったり、集中力の持続幅が短いと、いくらやっても時間ばかりが過ぎて、勉強の効率は悪くなります。

息子たちの集中力を高めるために、私は子どもと一緒になっていろんな遊びや作業をしました。長い時間と根気を必要とする作業をやり続けることで、集中力はアップします。

「小さい子には無理だろう」と思いがちなことでも、本当に興味があって、好きなことなら、たとえ幼児期でも集中力を高める訓練はできます。

長男は料理に興味があったので、3歳ぐらいから野菜の皮を剥いたり、切ったり、材料を量ったり、混ぜたり、細かい作業を根気よく続けさせました。

実は料理作りは、集中力を高めるためにとても良い作業です。

焼いたり、炒めたり、オーブンの温度を設定したりという調理も、とにかく集中していないと、怪我をしたり火傷をしたりします。ちょっと間違えれば、美味しい料理が出来上がらないので、最後までいやでも集中しなければなりません。

私としては自分で料理をしたほうが簡単で楽なのですが、あえてこの作業を続けるようにしました。そして、料理が出来上がったら、一緒に食べて、美味しかったら徹底的に褒めてあげました。長男は褒められるのが嬉しくて、毎日のようにキッチンの小さな椅子の上に立って、本当に集中して手伝ってくれました。

同様に、音楽好きの次男には、小学生のときにギターのコードを教えて、一緒にギターの練習をするようにしました。次男はほうっておくと、3時間でも4時間でも熱中してギターを弾くようになり、そのうちに自分で作詞・作曲をして歌うようになりました。その後、自作の歌はインターネット上でも話題になり、音楽は次男の人生を彩る欠かせないものになったのです。

このように、親が子どもに寄り添って興味のあることを根気よく続けさせていると、子どもは自然に集中力を高めることができるようになります。一度脳に「集中スイッチ」を作ってしまうと、子どもは自由に集中スイッチの「ON」「OFF」ができるようになります。どんなに口をすっぱくして「勉強に集中しなさいよ」と言ってもあまり効果はありません。でも一度、興味のあることに集中する快感を覚えると、子どもは必要なときには集中スイッチを「ON」にして、物事に集中して取り組むことができるようになるのです。

料理や音楽以外でも、パズル、レゴ、積み木などの遊びも集中力を高めます。俳句などを一緒に詠んだりするのもいいでしょう。大切なことは「親と一緒に」ということです。無駄なく集中して勉強できるようにさせるためには、日頃の親の努力は欠かせません。

23

Original stories for our sons

想像力

オリジナルの作り話を
聞かせることによって、
子どもの想像力を
フル回転させることができます。

わが家では寝る前に、よくオリジナルの作り話を息子たちに聞かせました。長男が2歳くらいのときから始めて、この習慣は十数年続きました。私のオリジナルのストーリーは「ペンギンの冒険」。終わりのない物語です。

ママペンギンが、はぐれたわが子を探すために、世界中を旅する話で、世界のいろいろな国の文化や風習を教えながら物語を進めていきました。ペンギンはいつも危ない目にあったり、優しい人に出会ったりします。

できるだけコミカルに話すようにしました。インドで蛇遣いに捕まって、ペンギンが蛇ダンスを踊らせられる場面では、ママも踊りながら話します。それを見て息子たちは大笑い。ペンギンが日本に来たときには、富士山に登って、雪に寝転んで喜んだりもしました。

パパのオリジナルの作り話は「ヘッタレ屁太郎」。いつもボーッとしている食べることが大好きな大食いの男は、おいもを食べると特大の「屁」を出します。それが結果的に、いつも誰かを助けることになるのです。盗賊が村人を襲っているときも、子どもがいじめられているときも、猛獣が襲ってくるときも、危機一髪、「屁」で退治するのです。

パパがためて、ためて、「ん……」というと、子どもたちも息を止めて待ちます。そして「うわー」というジェスチャーと共にドッカーンと「屁」が出た表現をすると、本当に息子たちは笑い転げて、涙をながして喜びます。私もお腹が痛くなるほど笑いました。

なぜオリジナルの作り話をしたのか？　その理由の一つは、自分たちだけの思い出を作りたかったからです。わが家にしかない物語。それは親の一つの愛情表現です。そして、もう一つ。それは「耳から物語を聞いて、想像力を広げてほしい」という思いからです。

絵や文字がなくても、耳から物語を聞くことで、人は想像力をつかって物語の世界を脳の中に描くことができます。一瞬にして、脳の中で現実にはない世界が作られ、人はその想像の世界の中で無限に楽しむことができる。人は何もないところから、物語を作り出すことができる。そして、その空想や幻想の世界は、人間同士の頭の中で響き合い、共鳴し合い、さらに想像の世界が広がっていく。そんな体験をさせたかったのです。

たとえ、漫画やゲーム、絵本がなくても、楽しむ方法がある。それは子どもにとっても新鮮な発見だったはずです。

たとえ無人島に漂流したとしても、息子たちはオリジナルの作り話で、いつでも笑い合う時間が作れるはずです。

そう、何もなくても、想像力さえ働かせれば、人は最高に楽しい時間を作り出すことができるのです。想像力の豊かな子どもは、創造力も高くなります。新しいアイデアや、新しいモノを世の中に提供する人間になるためには、想像力をフル回転させる訓練も必要なのです。

24

Celebrate all the festivals

国際理解力

世界の伝統行事を祝うことで、
文化の素晴らしさを体験させる。

わが家ではできるだけ各国の伝統行事を祝うようにしてきました。日本はもちろん、欧米、中国などの行事を中心に、一年中、お祝いのない月はありません。お正月、旧正月、豆まき、バレンタインデー、お雛祭り、復活祭、こどもの日、母の日、父の日、中秋の名月、ハロウィン、感謝祭、クリスマスなどなど……。

なぜ伝統行事にこだわるのか？　それは、子どもたちに自国の文化を認識してほしい。そして、他国の文化も理解して、体験してほしいからです。

小さい頃からの楽しい体験は、大人になってもいい思い出になります。その体験があると、自分の国はもちろん、他国の文化や歴史にも好感を持てるようになるのです。

国際社会の中では、自国の伝統や文化を説明できることは、とても大切なことです。単に英会話ができても、話に中身がなければ意味がありません。

「こいのぼりは、男の子が滝を登る鯉のように元気に育ってほしいという願いを込めて飾るんですよ。僕もこいのぼりと五月人形を飾ってもらったよ」

祝ってもらったからこそ、息子たちは、そう人に説明できるのです。

さらに外国人とコミュニケーションするときには、その国の伝統や文化や歴史的背景を知って、その人の気持ちに共感できるかどうかが会話のキーになります。「僕もハロウィンのときには変装して、近所にキャンディーをもらいに行きました」「感謝祭のときには、家でも七面鳥を焼いて食べましたよ」そんな話をするだけで、あっという間に会話がはずむこともあるのです。

息子たちは世界各国の祭りの意味、伝統行事の歴史などを、自分たちで調べたりしていました。

最近はアメリカで生活しているために、一緒にお祝いできないことが多いのですが、息子たちは一つ一つのお祝い事を、今でも懐かしく思ってくれているようです。

2015年は三人の息子全員がクリスマスに帰国しました。クリスマスツリーを見て「あッ、これは、僕が作ったオーナメントだ」などと、それぞれが懐かしそうに眺めていました。

「これ、パパと一緒に飾ったよね」と、五月人形と一緒の写真を見て、目を輝かせて話し合っている息子たち。これが文化の力、親が子どもに与える心の宝だと思います。

息子たちには結婚してからも、日本の文化、中国の文化、欧米の文化を引き継いでいってほしいと思います。

自分の国に誇りを持たせ、愛情を育む伝統行事。これからも大切に守っていきたいものです。

25

Feel the happiness of learning

学習力

新しいことを学ぶのは脳へのご馳走。
絶えず面白い、
新しい情報を与えましょう。

就学前の息子たちには、学ぶ楽しさを体で覚えてほしいと思いました。それで、まずは遊びながら文字を覚えさせることにしました。

日本語のひらがなが一番覚えやすいので、そこからスタート。B4くらいの大きさの紙に、「あ」と大きく書いて、その下に小さくアリの絵を描くのです。近くで見るとアリの絵が見えるから、それを見せながら「これはアリのあ」と教えます。そして、覚えたかなと思ったら、部屋の一番遠いところに紙を貼ります。アリは見えないけれど、「あ」は見える。「その文字を読んでみて」と、ゲーム感覚でテストをします。

わからなかったら、走って行って、紙のそばにいけばアリの絵が見えるので、必ず答えられます。そのうちに、そばに行かなくても「あ」と答えるようになるのです。ひらがなの50音は、このようにして、あっという間に覚えてしまいました。

「ママが教えたんじゃない、君が自分の体を使って覚えたのよ」と褒めてやると、確かに自分の足を使って覚えた思い出があるので、息子たちは誇り高く思ったようです。長男は3歳、次男は2歳半、三男は2歳で、すべてのひらがなが読めるようになりました。そして、この過程で、「自分で学ぶこと」「学ぶのは楽しいこと」と無意識に覚えさせることができたような気がします。

ひらがなが読めるようになると、「ママ、本を読んで！」と頼まなくても、自分で好きなだけ本が読めるので、息子たちは嬉しそうでした。

その頃、よくやったゲームの一つは、雑誌や新聞を広げて、「先に『う』を見つけた人の勝ち！」などと言って文字探しをすること。親も子も必死になって探すのです。そうやって、キャッキャッと言って遊びながら、息子たちはどんどん文字を覚えてくれました。カタカナも英語のアルファベットも、漢字も、同様のやり方で教えて、すんなり覚えてくれました。

私は息子たちが新しいものを覚えたときの目の輝きを、今でも鮮明に覚えています。まるで脳の中に電球がともされたように、パーッと表情が明るくなるのです。新しいことを学ぶのは脳へのご馳走、脳へのビタミン。絶えず面白いこと、新しい情報を与えていれば、子どもは学ぶ楽しさを自ら覚えるようになるのです。

26

Teach your child to eat healthily

健身、健心力

私は子どもに
甘い飲料を飲ませなかった。
それは「シュガーハイ」を
防ぐためでした。

「食育」は子どもたちの体と知能、感情の成長に深く関わっています。

私は母から学んだ中国の薬膳の理論を、家で実践してきました。三人の息子の体質をまず見極めて、その体質に合った食べ物を食べさせてきたのです。

体質には、熱か寒か(火照り性か冷え性か)、実か虚か(過剰なものをかかえているか虚弱か)、燥か湿か(乾燥しやすいかむくみやすいか)の三つの組み合わせがあります。たとえば、私は寒・虚・燥の体質。夫は、熱・実・湿の体質です。

薬膳の理論では、自分の体質を補うような食べ物を食べることが基本です。

ここでは詳細は省きますが、息子たちには、とにかくバランスの取れた多品目の食材を食べさせたかったので、毎日のように「五色五味」*の料理を作って、食べさせました。基本的に冷凍食品やインスタント食品は食べさせず、新鮮で安全な食材にこだわりました。そして、焼いたり、煮たり、炒めたり、揚げたり、蒸したりと、調理法にも工夫をして、できるだけバラエティーに豊むように料理をしていました。実は伝統的な日本料理も、「五色五味」の考え方に基づいています。ですから中国薬膳でなくても、インスタント食品に頼らず、家庭で日本料理を食べていれば十分に「食育」になります。

要は、欧米風の食生活は控えめにして、できるだけ手作りの日本料理を食べさせること。それが大切なのです。

さらに、私は息子たちには甘い飲料水は、一切飲ませませんでした。糖分の高い飲み物は、小さな子どもの体に「シュガーハイ」を起こさせます。一時的に血糖値が上がり、インスリンが大量に分泌されると、分解された糖分によって、子どもはいい気分になり元気一杯になります。しかし、あっという間に糖分は消えてしまうので、体が次の「ハイ」を求めて、また糖分を欲しがるのです。それは、大量に糖分を食することに繋がり、肥満の原因にもなります。そのうちにインスリンの分泌が乱れ、糖尿病になってしまう子どももいます。

私がとくに注目したのは、むしろ「シュガーハイ」が抜けた後の「落ち込み」です。小さな子どもは、ハイになると過剰に活発になり、集中力をなくしたり、落ち着かなくなったりします。

逆に「落ち込み」が始まると、機嫌が悪くなり、泣いたり、わめいたりしてしまうのです。この繰り返しは、子どもにとっても、大人にとってもストレスです。しかも、気分が不安定な子は、遊びも勉強も散漫になり、友達付き合いもうまくいきません。

だから、私は息子たちに、甘い飲料水を飲まさなかったのです。ジュースもできるだけ飲まさず、そのぶん、果物を食べさせました。

なぜ、甘い飲み物を飲んではいけないのかという理由は、幼い頃から息子たちに細かく説明しました。

彼らはそれをよく理解してくれて、私がそばにいないときでも、決して甘い飲み物を飲もうとしませんでした。今でも、息子たちは、好んでお茶か水を飲んでいます。薬膳など食の健康に関する知識を、すすんで自分で調べて、それぞれが自分の体質に合った健康的な食べ方をしています。母はよく、「あなたは食べた物そのものになるんだから、よく考えて食べなきゃダメよ」と言っていました。母から教わった伝統的な知恵と、科学的根拠によって、私は子どもに甘い飲料は飲ませなかったのです。

＊**五色五味**―もともと中国の陰陽五行説に基づく考え方で、五色は、「白、黄、赤、青、黒」の食材の色。五味は「甘、酸、辛、苦、鹹〈かん＝しょっぱい〉」の５つの味覚のこと。五色と五味はそれぞれ五臓を守り、人を元気にすると信じられています。

27

Think with your own head

判断力

質問をし、状況を把握させ、
選択をさせることで、
子どもは自分の頭で
考えられるようになる。

私は息子たちに幼ない頃からよく質問をぶつけました。

たとえば、アイスクリームを買うときに、「どの味がいいかな？　ママ、迷っちゃった」とわざと子どもに聞いてみます。「わからない」と言われたら、さらに問いかけます。

「この前はチョコミントにしたよね。その前はストロベリーだった。今日は何がいい？」そこまで聞くと、たいがい、意見が出てきます。

「だったら、オレンジにしようかな」と言ったら、「それは、なぜ？」とまた聞きます。「色が違うから」とか「食べたことないから」とか子どもなりの返事が返ってきます。

そこで、子どもの意見を取り入れるのです。「すごくいい考えだね！　ママもオレンジは食べたことないからいいよね！」と大喜びで子どもの考えを褒めてあげます。

自分の意見が人を助け、そして人の役に立ったと実感できると、子どもは「頭を使って考えて、意見を言うのはいいことなのだ」と覚えるのです。

大人の意見に賛成か、反対かだけでは、自分の頭で考える力は育ちません。面倒でも常に子どもに問いかけて、考える材料を与え、自分の頭で考えを組み立てられるようにすることが大切です。幼いときからこの訓練を繰り返していると、常に考える習慣が身について、子どもは自信を持って意見を言えるようになってきます。

自分の頭で考えて、状況を判断して、自分で選択する。そして、その結果に責任を持つというプロセスは、正しい判断ができる子に育てるために不可欠な訓練です。

長男が高校受験をしたときには、いくつかのアメリカの名門高校に合格しました。「どの学校にするかは自分で考えて、自分で選びなさい」と、夫は選択を本人に任せました。結果はトップ3の学校をやめて、トップ10の中でも上から8番目の学校の「サッチャー・スクール」を選んだのです。その理由は「学校に乗馬とキャンプの授業があり、人生の勉強ができるから」ということでした。

教育ママの私としては、ちょっとショックでした。やっぱりトップワンの学校に入ってほしかったのです。しかし、長男の意見を尊重して、その学校に入学させました。

それが大正解でした。馬の世話をして、乗馬の訓練を受けて、山や海で厳しいキャンプ生活をしているうちに、長男はみるみるうちにたくましく成長しました。
そして、勉強もしっかりして、結果として、スタンフォード大学に合格しました。

「僕は決して軽く考えてたわけじゃない。そのときから、この学校は本当に素晴らしいと確信して選んだんだから」と今となって、長男は胸を張っています。自分の頭で考えて、選んで、結果に責任を持つ。幼い頃から繰り返し続けてきたその訓練は、大切な決断のときに、ちゃんと役立ったように思います。

28
Always ask questions

質問をする力

よく質問する子は思慮深く、
得る知識が多いのです。

「わからないことがあったら、どんなことでも必ず質問してね」と、よく息子たちに言っていました。学習をするときに、わからないことがあるのは当たり前。ただ、わからないことがあるのに、黙っていることが困るのです。

「恥ずかしくって聞けなかった」と言うのが一番もったいないことです。せっかくわからないことを見つけたのに、答えを知るチャンスを逃してしまうからです。

でも、学校には「余計な質問に答える時間はないよ」というオーラを出している先生もいます。「そういうときは、理解できなかったことを書き留めておいてね。後で他の先生に聞くか、友達に聞くか、ママに聞くか、自分でインターネットで調べるかしてね」と、とにかく疑問やわからないことがあったら、必ず解けるまで追究するように、息子たちに言っていました。

わからないことをそのままにしておくと、次のステップについていけなくなり、授業内容がさらに理解できなくなってしまいます。そのうちに「僕はこの科目が苦手なんだ」と自分に言い聞かせ、その科目が嫌いになる悪循環が起きてしまいます。息子たちには、できるだけすべての科目に興味を持ち、楽しく学んでほしかったので、質問する精神と習慣を徹底して植え付けました。

私は息子たちから何を聞かれても、まず「よく聞いてくれました！」と言います。どんな質問でも絶対にバカにしないし、聞いてくれたことだけでもありがたいと、褒めることから始めます。

そして、一緒になって答えを探すのです。すぐには答えられないときもあります。「ママ、なんで海の水はしょっぱいの？」「なんで人は死ぬの？」……。うまく答えられないときには、「ママもよくわからないから一緒に考えてみようね」と真剣に対応します。

質問すればママが喜ぶ、質問すれば、大人は自分の疑問に興味を持って答えてくれる。そう子どもに実感させることができれば、子どもはすすんで質問するようになります。

もし質問して、「忙しいからちょっと待って」「そんなこともわからないの？」などと無視されたり、バカにされたりすると、子どもは質問しなくなってしまいます。

よく質問ができる子は、思慮深く、自分の頭で物事を考えられる子に育ちます。だから、どんなに忙しくても面倒くさいと思ってはいけません。子どもの質問には、いつも真剣に、ていねいに答えるようにしたいものです。

29

Let children join in conversations

聞く力、意見を述べる力

会話の輪に子どもを入れて
「聞く耳」と
コミュニケーション能力を育てる。

大人たちが話しているとき、その場に子どもがいるのに、全く無視して会話を進めている場面をよく目にします。日本には「大人の会話に子どもが口を出してはいけない」というような風潮があるのかもしれません。しかし、私はむしろ子どもがいるときは、積極的に子どもを大人の会話に巻き込むようにしてきました。それが「聞く耳」を育てる訓練になるからです。

子どもは、周りの会話が自分に関係ないものと思ってしまうと、耳を「オフ」にしてしまいます。それが習慣になってしまうと、授業中も、大事な話のときも、耳を「オフ」にする癖がついてしまうのです。

私は息子たちを、「いつも人の話を興味を持って聞き、会話に参加できる子に育てたい」と思っていました。

だから、小さい頃から子どもがいるときは、必ず会話に参加させるようにしてきました。難しい話もなるべく噛み砕いて説明して、子どもでも理解できるように話しました。

たとえば家族で一緒にニュースを見ているときでも、「今のをどう思う」と突然、聞いたりします。すると、子どもはニュースを見ているときも、耳を立てて、ちゃんと聞こうとするのです。「自分の意見を聞かれる」と思うと、子どもは一生懸命に内容を理解しようとします。そうするうちに、難民のニュースが報道されたときなどは、「大変だね、みんな」と私が言うと、「食べ物を分けてあげなきゃね」などと言うようになりました。そして戦争の映像が出れば、「ひどいね、やめてよ」などと画面に向かって言うようになったのです。

たとえ一緒に食卓を囲んでいても、父親は新聞、母親はテレビ、子どもはマンガやゲームに夢中では、意味がありません。時には父親は「仕事でこんな苦労をしているんだよ」と話して聞かせてもいい。母親は「ママ、こんなことで悩んでいるんだ」と泣き言を聞かせてもいいのです。楽しいことがあったら、一緒に笑い合う。悲しいことや辛いことでも、何でも話をして、一緒に悲しんだり悩んだりする。必要以上に子ども扱いしないで、むしろ一人の人間として、子どもを大人の話にも参加させる。私は、あえてそうしてきました。

ママ友の会で話しているときでも、子どもが来ると「あっちに行ってなさい」などと言わず、私はわざと「こんな話をしてるんだけど、あなたはどう思う?」と聞いてみたりしました。思わぬ子どものユニークな意見にみんなで大笑い、などということも何度もありました。

そして小学校の高学年ぐらいになると、子どもはどんな話でも、かなり対等に議論できるようになります。子どもらしい自由で面白い発想の意見が出てくるので、私も夢中で議論するときがありました。

「聞く耳」を持つ子は、頭もよくなると言われています。その訓練は、まず大人だけで会話をせず、話の輪の中にあえて子どもを加わらせることから始めてみましょう。

今では、息子たちが帰ってくると、わが家は政治や経済や宗教の話題で、朝まで議論してしまうほどになりました。いくら時間があっても足りないほど、息子たちの話題は豊富で興味深い。それも小さな頃からの訓練が開花したのかなと実感しています。

30
Mutual report of daily activities

気づく力

親子で「今日の報告」をすることで、
子どもは注意深い子になる。

「子どもの一日の出来事を知りたい」と思うのは、親の共通の思いでしょう。でも子どもは、自分からすすんで話そうとしない場合が多いのです。そのため私は、いつもまず自分の一日を息子たちに報告するようにしました。

たとえば、「今日はママ、テレビ局に行ったよ。美味しいイチゴを紹介していたから、一つ持って帰ってきたよ。食べてみて」などと、まずは自分から報告するのです。すると、息子たちも、自分の一日の中で一番印象的なことを話してくれます。

子どもの一日を把握することで、楽しかったのか、寂しかったのかがわかると、共に喜び合ったり慰め合ったりすることができます。さらに、お互いの一日を報告し合う習慣ができると、お互いの信頼感が高められます。

そして、実はこの報告する習慣は、勉強にも役立つのです。報告するときに、子どもたちは一日を振り返ります。一日の出来事を思い出し、整理して表現することは、レポートを書くときのための、いい訓練になるのです。

毎日、報告するネタを考えなければならないので、子どもは周囲にとても注意深くなります。

「今日は葉っぱの上に小さなカエルを見つけたよ」とか「校庭でお掃除しているおばちゃんと話をしたよ」とか、普段の生活の中で見過ごされてしまうような色とりどりの出来事が、鮮明に記憶されるようになり、無意識のうちに「気づく力」が育てられます。

こうした感覚・感性が育っていくと、後で文章を書くときや、自分を表現するときに、とても役立ちます。いろいろと引き出しの多い人間になり、話題も豊富で面白くなっていきます。

親が一方的に「今日はどうだった?」「何があったの?」と聞くと、子どもは「別に」「普通だよ」などと記憶の蓋を閉じてしまいがちです。だから、親から先に報告するのがコツなのです。

わが家では決して「別に」のような答えは返ってきません。必ず息子たちの、その日の小さな物語が聞けるのです。相手の話を聞きたいなら、まずは自分から話すこと。このお互いの報告会は本当に楽しくて、今でも懐かしく思い出します。

31
Humor makes life richer and happier

笑う力

ユーモアのない人は
心に余裕がないと見られてしまいます。

子育て中に、忘れてほしくないのが「ユーモア」です。たくさんの笑いを子どもたちに提供して、「生きているって素晴らしい」、「毎日の生活って楽しいものだ」と、実感してほしいのです。

息子たちが物心つく頃になると、私は息子たちをわざとからかうようにしていました。

りんごを渡しながら、「このバナナ、おいしそうよ」と言います。すると「ママ違うよ。これはりんごだよ」と決まって訂正します。

「はい、ご飯食べて」と言いながら、うどんを差し出せば、「ママ、また間違ってるよ」と子どもはムキになって訂正します。でもそのうちに、「ママはジョークを言っているんだな」とわかるようになり、逆にジョークを仕掛けてくるようになります。

「はい、ママ、これりんごだよ」とバナナを私に差しだしたりするのです。そこで親子は大笑い。

このように、毎日の生活の中で、ちょっとしたユーモアを持って子どもと接していると、自然に子どもも「何か面白いことを言おう」「人を笑わせたい」という精神が育ちます。

夫はダジャレがうまくて、みんなをよく笑わせてくれました。

車の長い移動のときには、よく家族でしりとりをやりました。でも、単純なしりとりでは面白くないので、テーマを決めます。たとえば、「綺麗なものだけしりとり」とか「汚いものだけしりとり」とか「臭いものだけしりとり」とか、子どもたちが大笑いになるようなしりとりをよくやりました。これは結果として脳トレにもなったと思います。

替え歌を作ったり、変な音を録音して、みんなで聴いて笑ったり……。「笑い」はわが家の子育ての大きな柱の一つでした。

夕食の食卓を囲むときは、必ずテレビを消して、おいしいものを食べながら、みんなで一日の報告をし合ったりします。そういうときも、私は子どもたちにクイズ番組などで仕入れた面白い情報などを、身ぶり手ぶりを交えて、ユーモアたっぷりに話したりしました。

アメリカでは、ユーモアを持ってない人間は、余裕がないと見られがちです。ユーモアのセンスがあるかないかは、日本よりずっと重視されています。ある調査で独身女性に「結婚相手に一番望む物は?」と聞いたところ、一番になったのは「ユーモア」でした。学歴や経済力よりも、アメリカではユーモアが大事とされているのです。大統領の演説でも、学長のあいさつでも必ずユーモアを入れないと、「この人は余裕がない」と思われてしまいます。

三人の息子たちは、自然にユーモアのセンスも身につけて、問題なくアメリカの文化に溶け込んでいるように見えます。本来、生真面目な性格の息子たちですが、常に笑いの種をたくさんかかえていて、いつでも笑う準備ができている。こうした彼らの笑顔の原点は、家族の笑いの中にあったと思います。

32
No games and manga until high school

自制する力

脳の発達が活発な時期に、
依存性の高いゲームと漫画は
高校までやらせなかった。

息子たちには基本的に、高校生になるまで、ゲームと漫画を禁止しました。それは脳の発達が活発な時期には、想像力を伸ばす遊びや読み物、体を使った運動を優先させたかったからです。とくに日本のゲームは刺激が強く、面白くて、一度やればハマりやすいように作られています。エンタテインメント性が高いことは認めますが、子どもたちが数時間も夢中になってやってしまうと、半ば中毒のようになってしまうのも事実です。

一番大切な脳の発達時期に、あまり偏った脳の使い方をしてほしくない。ゲームをしなくても、楽しくて面白いことは、リアルな世界にもたくさんある。そのことを、よく言って聞かせました。

漫画は絵と文字の組み合わせで出来ています。文字だけで読む本は、その子が自由に想像力を働かせて、自分の頭のなかに世界を作っていきます。一方、漫画は、素晴らしい文化ではあるけれど、具体的な絵の魅力にとらわれてしまい、子どもにとっては本ほど想像力を広げる訓練にはならないと私は思っています。

ゲームと漫画が面白いのは確かです。でも、その分、依存性が高く、一度ハマってしまうと、なかなかその世界から離れるのが難しくなってしまいます。

ゲームのなかの刺激的な場面をエンドレスで体験すると、子どもは普段の生活のペースでは満足できなくなってきます。漫画の世界に入り込みすぎると、バーチャルの世界と現実の世界のギャップに苦しむ子が出てきます。

もちろん誰もが中毒になるわけではありません。

しかし、基本的にはゲームと漫画は、ある程度自分で自分がコントロールできるようになる高校生になってからでも遅くない。そう思って息子たちとよく話し合った上で、禁止することに決めました。

「でも、ゲームも漫画も禁止じゃ、子どもが学校で話題についていけなくなるんじゃない？」と心配する親もいます。

でも、息子たちを見ている限り、そんな心配はまったくありませんでした。ゲームをやらなくても、漫画を読まなくても、友達はたくさんできたし、特別な目で見られるようなこともありませんでした。

むしろ、ゲームや漫画よりも、もっと面白い刺激的な遊びや読み物を与えられるか。それが重要です。わが家は、積極的に外に遊びに出ました。釣りやハイキングや小旅行にもよく行きました。小学生のときには、何も遊び道具がなくても、森にコインを隠して宝物探しをしたり、なぞなぞやしりとりや、マジックやジェスチャーゲームなどをして、親子で十分楽しく遊びました。そして、中学生からは、とにかく読書、読書。三人の息子ともあまりテレビ番組にも興味を示さず、とにかく本を読むことが大好きで、「本の虫」と呼べるほどの読書好きになりました。

33

Do something different everyday

臨機応変力

メリハリのある毎日は、
子どもの脳を活性化します。

「子どもが小さい頃は、決まった時間に早寝・早起き。勉強も決まった時間にするほうがいい」とよく言われます。そのほうが生活習慣や学習習慣が身に付くというのです。

でも、私はそのことにはこだわりませんでした。寝る時間も起きる時間も、子どもの体調次第。勉強は宿題が終わったからといって終わるものではなく、生涯するものです。息子たちには「宿題や予習・復習が終わったから、さあ別のことで楽しもう」ではなく、「勉強は常にするものだ」ということを教えてきました。

たとえば、雨はどうして降ってくるのか？　雨の降る仕組みを学んでいるときに、ちょうど雨が降っていたら、宿題を放り出して「かっぱを着て、長ぐつを履いて、外へ行こう」と外に連れ出しました。

そして、雨が地面をたたく音を聞いたり、水たまりの中にジャンプしたり、排水口の落ち葉を綺麗にしたり、公園でカタツムリを探したり……。たわいのないことですが、そんなことを体験しただけでも、子どもは、なぜか家に帰ってくると、雨のことにとても興味を示すようになるのです。そこで、「それ！」とばかりに世界の降雨量の地図を広げたり、干ばつの地域の写真を見せたり……。

そうこうしているうちに、いつの間にか夕飯時。宿題や、予習・復習は当然、夕食後になってしまいます。

でも、そのときには、宿題の書き取りよりも何よりも、子どもの頭の中には、雨に対する知識と興味が高まっているはずです。それこそが学習だと私は思うのです。「この時間は学習に使う。その後は遊んでいいよ」というのは間違ったメッセージです。

だからわが家では、毎日机に向かう時間が違っても平気でした。

たとえば夕方、友達が急に遊びに来たら、思いきり遊ばせて、おもてなしをします。その日がたまたまわが家の「餃子大会」の日なら、友達と一緒に餃子を作ったり、食べたりして楽しい時間を過ごします。

宿題を提出日に間に合わせるのは、息子たちの責任です。友達と遊んだり、家の行事に参加したり、毎日違った出来事があるけれど、宿題や学習の時間は、自分で判断して、やりくりをすることがわが家の原則でした。

「夜、あんまり遅くなりすぎてはいけないし、やっつけ仕事もいけない。ただ、勉強は自分のためのものなのだから、いつやるのかは自分で責任を持って決めて、必ずやる。それが当然なのだ」と教えてきました。

人生にはいろんなことが起こります。周囲の状況に応じて、臨機応変に自分のやるべきことを組み立てることができる人間は、チャンスを逃しません。たとえ、どんな困難があっても乗り越えることができます。逆に臨機応変にやるべきことができない人間は、小さな変化にも戸惑ったり、大事なときにタイミングを外してしまいます。

毎日違った、メリハリのある生活を過ごすためには、それだけ自分の頭を働かせなければなりません。

子どもの脳の活性化を望むなら、毎日同じ枠にはまった生活をさせるより、毎日違ったメリハリのある、刺激的な生活を与えたほうが有効だと私は思っています。

メリハリのある刺激的な毎日は、子どもの脳を活性化させます。臨機応変に自分で学習計画を組み立てられるようにすることもまた、小さな頃からの訓練の積み重ねなのです。

34

Be skeptical,always look for the truth

疑う力

疑う心は新しい発想・発見につながる。

「学問は、人が疑う心を持ったから生まれたものだ」と言われています。「なぜ?」「どうして?」という疑問を持って、解答を探すことにより、発明や新しい発見が生まれるようになったのです。

私は自分の子どもにも疑う力を持たせたいと思いました。

それで地球儀を見せながら「ガリレオ・ガリレイが地球は四角だと信じなかったおかげで、地球が丸いってことがわかったのよ」などと話しました。そして、「教科書に書いてあることがすべて正しいとは限らないよ」と、疑う精神を育てる種を蒔きました。なんでも疑ってみることによって、新しい発想、新しい発見、面白いアイディアが生まれます。

三男が8歳くらいのときの出来事でした。小さなことですが、「ママ、麦茶に砂糖とミルクを入れると、コーヒー牛乳の味がするんだよ」と言ってきました。半信半疑でやってみたら、本当にコーヒー牛乳の味がしました。「ママには絶対に思いつかない発想だよ、すごいね。どうしてなんだろ。調べてみよう」ということになりました。

いろいろ調べた結果、理由はよくわからなかったけれど、「コーヒー牛乳と、麦茶＋牛乳＋砂糖の味覚は、とても似ているということが科学的にも証明されている」ということがわかりました。そんな些細なことでも勉強のきっかけになります。子どもには、まず何でも疑問を持たせること。それが好奇心となり、興味や探求につながるのです。

一方、私は「テレビや新聞などで報道されているニュースも、すべてが真実とは限らない。一度は疑ってみるべきだ」とよく話しました。ユニセフの海外視察などで現地を訪ねてみると、日本の報道で得た情報と現実が大きく違うことがよくあります。

たとえば、レソトという国に行くまで、私はＨＩＶエイズは、大人の問題だと思っていました。しかし実際に現地に行き、親から感染した子どもたちや、エイズで親を亡くしたたくさんの孤児たちと出会うと、「エイズは子どもの問題でもある」という認識ができました。次世代を助けるためには、従来の固定観念を越えた新たな取り組みが必要だとわかったのです。

だから息子たちには「一つの情報だけを信じちゃいけない。どんな情報も掘り下げて、いろんな角度から考えて、実情をよく知ることが大切よ」と話してきました。

今の世の中には、プロパガンダもあふれています。大量に流れてくる情報を鵜呑みにして信じてしまうと、本当の世界のことがわからなくなり、真実を見誤ってしまいます。

主義や主張の違い、宗教や文化の違い、国の政治体制の違いなどによって「真実が違っている」ことはよくあります。だから普段から「一つの報道だけを信じるのではなく、できるだけ情報を整理して、物事を多角的に見るように」ということを教えてきました。

今はインターネット上にも、誤った情報があふれています。偏った一部の人たちが、誤った情報を意図的に流して、特定の国や人たちを攻撃するような風潮もあります。こうした憎しみや嫌悪感を広げるような情報からも、子どもたちを守らないといけません。

子どもに情報を疑う目、疑う力を持たせることは、自分自身を守るための手段でもあるのです。

第4章

勉強ができる子にするための9つのメソッド

35

Why do we need to go to school?

学校に通う
理由を説明する

学校に行くのは自分のため、
勉強できるのはラッキーなこと。

息子たちが小学校に上がる前に、私は、必ず「なぜ君は学校に行くの？」と聞くようにしていました。すると「なぜかな？」といつも逆に息子から聞き返されました。

こうした疑問を持たせて、それに丁寧に答えることは、子どもにとって、とても大切なプロセスです。きちんと学校に行く意義を理解することができれば、小さな子どもでも志を持って登校できるようになるのです。

「昔、学校がなかった時代はね、子どもは学校に行かなかったんですよ」とまず話します。

「昔は家族から畑を耕す方法や、魚やけものの獲り方を教えてもらって、それを覚えていれば、大人になっても食べられて生活できていました」

「そのうちに文字ができて、読み書きができるようになると、人はいろんな知識を覚えて、伝えられるようになりました。そうして知識を交換し合えるようになったから、多くのものが発明されて、生活も楽になったんです」

「今では、読み書き、計算ができなければ毎日の生活ができません。だから、学校に行って、読み書きと計算を覚えましょう。自分の名前を書いたり、住所を書いたり、周りにある文字を読んで、勉強して、ご先祖様が残してくれた大事な知識を覚えたりするんですよ」そうなふうに時間をかけて、細かく説明します。

「いろんなことを勉強して知識を身につければ、将来は、なりたい自分になれる。実は、世界には学校に行きたくても行けない子どもが、いっぱいいるんだから、その子たちの分まで一生懸命に勉強して、素敵な世界を作らなきゃね」そういう話もしてあげます。

長男は小さいときには「コックさんになりたい」と言っていました。だから「コックさんは、ものを買うときには計算しないといけないよね。レシピを間違えないように、文字も読んで、分量も量らないといけない。学校に行けば、そういうことが全部勉強できるから素敵だよね。楽しみだよね」。そんな話を小学校に上がるまでに、何回も話しました。

何度も繰り返して話してやると、子どもは小さいながらも、「学校に行くのは自分の将来のためだ」と良く理解してくれます。

豊かに楽しく生きていくために、そして、自由に自分の夢を実現するために、勉強は大切なものなのだと心から納得すれば、子どもはすすんで学校へ行くようになります。

「みんなが行くんだから、行くのは当たり前」とか「勉強しないとバカになるから」というようなネガティブな言葉は使ってはいけません。「勉強は将来に必要なとても前向きなことであり、勉強できることはとてもラッキーであり、人生のご褒美なのだ」と理解させることが大事です。

36

Doing it halfway is the worst

中途半端が一番辛い

最初から勉強を
「やる組」「わかる組」に
入る決心をする。

どうすれば楽しい学校生活が送れるのか?

私は勉強を「やるか」「やらないか」しかないと思っています。

一生懸命に勉強する子は、授業についていけて、テストもこなせて、勉強自体が楽しいので学校が大好きになります。

逆に勉強には関心がなくて、友達と遊ぶのだけが大好きな子もいます。勉強についていけなくても、別に気にしない。テストができなくてもかまわない。徹底的に遊ぶのも、それなりに楽しいと思います。

では、一番辛いのは?

それは勉強ができるようになりたいのに、わからない。でも、見栄やプライドが邪魔をして、人に聞くこともできない。一生懸命やったテストも、低い点数になってしまって、ますます不安になり自信をなくす。そのうちに、どこが理解できていないのかさえわからなくなる。何を質問したらいいのかもわからなくなってしまう。そういう中途半端な状況になると、勉強がいやになり、学校が地獄のようになってしまう。その結果、自分を責めてしまったり、嫌いになったり……。つまり「中途半端」が一番辛いのです。

では、そうならないためにどうすればいいのか？

それは、最初から勉強を「やる組」「わかる組」に入る決心をすることです。

わからなかったら、恥ずかしがらずにとことん聞く。そしてわかるまで努力をする。それしかありません。そしてもし、本人がどうすればよいかわからずに悩んでいたら、親や周りの人間がその状況に気づいてあげて、手を差し伸べて、とことん教えてあげる。それだけが地獄からの脱出方法なのです。


まずは1週間、とことんその子と向き合って、わからなくなったところを探り出し、一緒に復習してみましょう。とくに、小学校の勉強ならば、子どもの成長に合わせた基本的なものが多いので、努力さえすれば、必ずそこそこできるようになるはずです。そして、一遍できる体験をさせると、その快感は次の勉強の原動力になります。助けてもらえる人が周囲にいることがわかれば、またわからなくなったときに、子どもは助けを求めやすくなります。

だから私は、いつも息子たちに「どうせ勉強はしなくちゃいけないんだから、できるようになろうね。それが一番楽しいから。勉強ができるようになるためには、わからないことがあったら、すぐに先生やママに聞くことよ」と言っていました。

どんなに忙しいときでも、息子たちから勉強についての質問が来たときは「ちょっと待って」「今忙しいの」と言うのは禁句でした。たとえご飯を作っているときでも、すぐに火を止めて、「何、何?」と、その場で質問に答えてあげます。

楽しく勉強する子に育てるためには、そうした毎日の努力の積み重ねが必要なのです。

37

Checked homework until middle school

宿題は中学まで見よう

勉強の出来具合を
チェックすることより
一緒に勉強を楽しむ。

息子たちの宿題は、中学まではできるだけ見るようにしてきました。ちゃんとできているかどうかチェックしよう、という気持ちもありましたが、むしろ一緒に勉強を楽しもうという精神でやっていました。時間があるときは一緒に次の日の予習をしたりできなかった問題の復習をしたりして、とにかく「勉強は難しくない、楽しいものだ」という印象を持たせるようにしていました。

たとえば、漢字を覚えるのは、暗記しかないので、ある意味で一番辛いプロセスです。それだけに漢字テストの前の晩は、必ず模擬テストをやりました。できないときには何度も繰り返しました。

なるべく笑いながら、時には何かを食べながら、覚え方を研究しました。「『羊』が大きいと『美しい』になるね」とか「『幸』は逆さにしても『幸』だね」とか「もう一本足せば、『辛い』も『幸せ』になるね」とかいろいろな覚え方を生み出しました。とにかく楽しく、苦にならないような工夫をしました。

わが家では、宿題や勉強をするときの場所は、とくに決めていませんでした。自分の机でやることもあれば食卓でやることもある。時には床に寝ころびながらやってもOK。勉強することは特別なことではないので、どこでもいつでも、まるで生活の一部のようにして学習に取り組んでいました。

国語や算数はもちろん、社会や科学や英語の宿題も、私は必ず毎日チェックしました。どうしても泊まりの仕事があるときなども、ホテルから電話とファックスでやりとりをして、一緒に答えを考えたりしました。

子どもの宿題に付き合うのは、時間がかかるし、親にとっては面倒で、根気のいる作業です。でも、密度の濃い親子タイムだったことは間違いありません。子どもの得意科目、不得意科目も宿題を見ていれば、わかってきます。それで適切なアドバイスができるようになるのです。その成果が出たのでしょう。息子たちは中学校に入ってからは、私にチェックされるまでもなく、自分からすすんで宿題をするようになりました。


中学生になれば、子どもは自分をコントロールすることを学ばなければいけません。むしろ親は、一歩離れて応援する立場になったほうがいいのです。そうでなければ、子どもは、親に催促されなければ勉強しないようになってしまいます。

しかし宿題の内容やレポートのテーマなどには関心を持ちつづけ、励ましたり、アドバイスをすることが大切です。

それでも時々宿題を忘れる息子に「宿題は一番確実に点数を稼げるもの。テストは勉強して、実力を出さなきゃいけないけど、宿題はやればいいだけなので、こんなに簡単なことはない。絶対に出さなきゃ損だよ」と話しました。「提出しなければ、まるで自分から『点数はいらない』と言っているのと同じ。もったいないでしょ」と説得したのです。

宿題をきちんと提出することも、ある意味、習慣のようなものです。

小学生時代までにしっかりとこの習慣を身につけさせたいものです。

38

Excel in things that you are good at, and other things will fall in line

得意を伸ばすと不得意も伸びてくる

得意科目を
やりたいだけやらせて、
勉強に自信をつける。

学校の勉強では、得意な科目と不得意な科目が出てきます。親は不得意な科目があると、つい心配して、一生懸命に不得意な科目を得意にしようとします。

私はその逆をやってみました。つまりまずは得意科目をやりたいだけやらせて、伸ばせるところまで伸ばしてみました。「そうすれば、勉強に自信がついて、不得意な科目もそこそこできるようになるはずだ」と考えたのです。

長男はとくに数学が大好きでした。それで私は友人の子どもの大学生に頼んで、家庭教師になってもらい、長男がやりたいように数学をやらせました。すると長男は、小学生のときから中学校の数学を勉強するようになり、高校に入ってからも、数学が一番の得意科目になりました。その結果、国語など得意ではなかった科目にも自信がついたようで、全科目でどんどん成績が上がっていきました。

次男は英語が得意なので、小さな頃から意識して英語で物語を書かせたり、いろんな本を読ませたりしました。それで英語の成績が上がり、得意でなかった数学などの科目もついていけるようになったのです。彼は音楽が大好きで、中学生から自作の歌を発表したりしていましたが、歌詞を書くときに、とくに役立つのが語学力です。「良い歌詞を書くために必要だから」と、次男はすすんで優れた文学作品をたくさん読むようになりました。

三男はいつの間にか速読ができるようになりました。誰が教えたわけでもないのに、小学校3年生ぐらいから、一日で400ページもある長編小説を読み終えるようになったのです。もともと読むことが得意な子どもだったので、どんどん本を与えたことがよかったのかもしれません。

「僕は大きくなったら出版社の編集者になる。そうすれば、僕が一番先にベストセラーを読めるから」と3年生でびっくりするようなことを言っていました。そんな三男は、中学生になると表現することに興味を持つようになり、コンピューターグラフィックスや、デザインの勉強もするようになって、数学や科学の成績も上がっていきました。

このように得意なものを伸ばして、自分は「できるんだ」と自分を信じることができると、子どもは不得意な分野にも自らすすんで勉強するようになります。

良い学生とは、すべてに平均点が取れる子ではありません。むしろ飛び抜けた得意科目があって、みんなと同じくらいの科目もあるのが面白い。そして、そうした子が、ゆくゆく伸びる子になるのだと思います。

39

How to get good grades

いい点数を取るために

100点を取りたいなら、
120点の力を出しましょう。

学問を学ぶことにおいて、点数は一番大事なものではありません。しかし、いい大学に行くためには、いい成績は最低限の条件です。とくにアメリカの大学は、中学3年から高校3年まで4年間の成績を参考にして、合否を決めます。だから、普段から、継続的にテストでいい成績を取ることが必要なのです。

そのためには、まずはテストを好きになることが第一歩です。「好きこそ物の上手なれ」といいますが、テストが好きで、楽しめるようになれば、必ずいい点数が取れるようになります。私は子どもたちがテスト好きになるように、ゲーム感覚でテストで良い成績を取るコツを教えていました。

たとえば数学のようなテストは、内容の理解と、日頃の練習そして、問題を解く速さがポイントになります。それで「とにかく速くすべての問題を終わらせること。そして必ずチェックの時間を作るように」と何度も言っていました。不注意のミスで点を落とすのが、一番勿体ないからです。

「テストの前に予想される問題を練習しておけば、あわてないで済むから。テストのときはむしろ落ち着いて、淡々と楽しんでやってね」そう教えて、一緒になって予想される問題を考えて、模擬テストをやったりしました。数学は白黒がはっきりしているので、きちんと努力すれば、100点満点が取れる可能性があるのです。

論文で答える問題は、「テストの前に先生の気持ちになって、自分が先生だったら、どんな質問を出すのだろう」と考えてみるように教えました。出題される側から、出題する側に発想を切り替えてみるのです。質問を作るには、学習内容がわからないと作れません。「先生の気持ちになって」と考えさせることで、息子たちはもう一度復習して、勉強の一番大事なポイントを見つけ出す作業をするのです。それから自分で質問を書いてみて、それに答えてみる。そしてもし上手く書けなかったら、それから自分で、さらに復習をするのです。

実は論文を書くのにもちょっとしたコツがあります。まず論文を書く前に、大事なポイントだけを箇条書きにして答案用紙に書いてしまうのです。そうすれば、万が一、時間が足りなくなって最後まで論文が書き終わらなかったとしても、先生はその箇条書きを評価して、何らかのプラスアルファの点数をくれるはずです。

実は私はテストが大好きなのです。自分自身でこうしたやり方を工夫して、今までに、いくつかのテストをクリアしてきました。

そんなテクニックは、息子たちにも面白おかしく伝えました。

たとえばいくつかの選択肢から正解を選ぶマークシートのようなテストでは、まず、誤った解答をしたときに、減点があるかどうかを確認します。次に問題数を制限時間で割って、一問当たりの時間を計算します。もし時間に十分な余裕があるなら、一問ずつ順番に解いていけばいい。でも、もし問題数が多くて、時間が足りなさそうで、誤った解答をしても減点がない場合は、まず最初に、すべての設問に対する解答を適当に塗りつぶしてしまいます。それだけでも、偶然に正解する確率が上がるからです。そうした後に、一問ずつ改めて正しい解答に直していけばいいのです。

このように、一点でも多く取りたいテストの場合のテクニックも伝授して、「テストはゲームをやるような気持ちで臨めばいい。そうすればテストも楽しくなるよ」と息子たちには教えてきました。

さらに、学年が上がると、徐々にレポートの提出が多くなってきます。すると先生の採点基準は曖昧になってきます。

私が息子たちに常に言っていたのは「100点を取りたいのなら、120点の力を出しなさい」というものでした。私も大学で教えているので、採点をするときには、全体のバランスを見ます。そのなかで、私が望んでいること以上に特別の努力をした子がいると、その子には当然高い点数を付けます。そうすると、その他の子の点数は比較して低くなる傾向があるのです。

だから、絶対に努力を惜しまずに120%の仕事をすることが大切です。そうすれば、100点は取れなくても、必ず90点ぐらいは取れるはず。もし、100%の力しか出さないで安心していたら、結果は80点ぐらいしか取れないかもしれない。それが現実なので、これでもかと、常に惜しまずに120%の努力を見せることがとても大事なのです。

40

If you love studying, good grades will follow

テストも勉強も好きにさせる

勉強が好きになれば、
点数はついてくる。

「どこが間違ったのか、もう一度解いてみよう」。私は息子たちのテストが戻ってくると、点数の低かった問題に注目して、何度でも一緒にわかるまでやり直しました。学習の次の段階に、自信をもって進んでほしかったからです。

その上で「テストの点数だけで自分の実力をはかってはいけないよ」という話もしました。「先生より、ママのほうがずっと君のことをよく知っている。そして、ママよりも、君のほうが自分をよく知っているはず。だから自信を持ってやりましょう。そしてもしわからないところがあったら、一緒に復習しましょう」と言って一緒に勉強しました。

私はテストの点数よりも、息子たちがどのくらい授業の内容を理解しているかが、いつも気になっていました。点数は、先生が作ったテストにどのくらい正確に答えられたかの結果です。場合によっては、子どもが質問をよく理解できなかったときもあるでしょう。前の日に勉強できなかったときもあるでしょう。先生の教え方がわかりにくかった場合もあるかもしれません。

でも、本当に実際に授業の内容がわかっているならば、問題はありません。内容がわかっていれば、次の授業も理解できます。ただし、もし授業内容がわかっていないのなら、だんだん授業についていけなくなり、しまいには勉強まで嫌いになってしまいます。勉強が嫌いになったら、当然いい点数は取れません。

「いい点を取らないと親に叱られるからテストが怖い」と、息子の友達から聞いたことがあります。

たとえテストの点数が悪くても、決して叱ってはいけません。子どもがテストを怖がるようになったら、台無しです。

もしかしたら、点数が良くなかったのは、子どもだけの問題ではないかもしれない。クラス全体の平均点が低かったのなら、先生の力不足かもしれない。もし自分の子だけ点数が低かったのなら、単にその日の授業内容が理解できなかっただけかもしれない。

だから、そんなときは叱るのではなく、むしろ「わからなかったところがわかってよかったね」と話して、理解できるまで一緒に復習することが大切です。

テストを恐れずに、勉強が好きな子に育てること。そのためにはまず、授業がよく理解できて、勉強を楽しめるようになるまで、子どもの背中を押してあげることが大事です。

たとえば、クジラについて勉強しているならば、クジラに興味を持たせるために、クジラのベーコンを食べに行ってみる。そして、年間の捕鯨数がどのくらいなのかを調べてみる。なんで捕鯨に反対する人たちがいるのか話をする。鯨の出てくる動物の番組を探して、一緒に見る。新聞や雑誌の記事を集めて、一緒に読んでみる。今ならば、インターネットで動画でも情報でも、いくらでも得られるはずです。

このように、一つのテーマをいろんな角度から考えて、総合的な情報に触れてみる。すると子どもの視野がひろがり、そのテーマに、本当に興味を持つようになります。

学校の勉強が生活と結びついたとき、子どもたちは勉強に、本当の意味を感じるはずです。学習することに意味を感じれば、結果としてテストにはいい点数がついてきます。その「勉強が好き」という気持ちを育むために、親の努力やひと頑張りが不可欠なのです。

41

English is a prerequisite to a bright future

英語は欠かせない

英語ができると
子どもの世界が一気に広がります。

英語は、今や世界で一番使われている国際言語です。インターネット上の情報も英語が中心。学問も経済も政治も、英語をベースにして世界は回っています。日本でも最近は、入社条件にTOEIC®の成績や英検の資格を求める企業が増え、英語ができないと就職でも不利になることは確実です。最近では、さまざまな翻訳アプリが開発されていますが、まだまだ自由に言葉を操ることはできません。

自分の意思を英語で伝えられ、相手の話が聞き取れること。英語を使ってリサーチして、英語で勉強できること。そして英語でリポートを書けることは、今後、子どもたちが世界を舞台に活躍するためには、必須のことです。だから、英語をどのように教えるのかは、とても重要な課題です。

わが家では、子どもが生まれてすぐから、できるだけ子どもの周囲に英語の環境を作るように心がけました。子守唄は日本語の歌も英語の歌も、両方歌って聞かせました。日常的に英語の歌のテープを聞かせたり、ビデオを見せたりもしました。オモチャも、ちょっと割高になりますが、外国製のものを与えて、自然に遊びながらアルファベットに親しむような環境を作りました。

日本では、少し前まで、「あまり早く外国語を教えると母国語に悪影響が出るのでやめたほうがいい」という説がありました。しかし、私はそうは思いません。むしろ語学を学ぶためには、小さければ小さいほど習得が楽なのです。

子どもが一つだけの言葉に慣れてしまうと、第二言語を学ぶにはかなりの努力が必要です。しかも、8歳くらいからは好き嫌いがはっきりしてくるので、語学が好きな子は上達しますが、語学が好きでない子は、いくら頑張っても身につかないのです。

だから、まだ好き嫌いのない小さい頃から、当たり前のように、子どもの日常をバイリンガルにする努力が肝心です。そうすることで、子どもの脳に、自然に英語をインプットすることができて、本人も知らぬ間に英語ができるようになるのです。

実は、私自身もイギリスの植民地だった香港で、2歳から英語で教育を受けてきました。そして、ほとんど苦労することなく、ネイティブに近い英語を身につけることができました。だからといって、母国語がダメになったわけでもありません。そうした経験からも、私は英語の早期教育は、日本が今後最も力を入れて取り組まなければならない課題だと思っています。

日本の義務教育では、ようやく小学5、6年生に対して「外国語活動」が始められました。しかし未だに低学年からの英語教育は始まっていません。だから学校教育だけに頼ってはいけません。小さい頃から家庭で、継続的に、子どもの英語力を高めることが大切なのです。

英語の絵本から始めて、徐々に児童文学の本を読ませたり、外国の子ども向けの映画やテレビ番組を見せたり、歌を覚えさせたり、とにかく、ありとあらゆる機会に、本場の英語に触れさせましょう。余裕があれば、近場の外国に行って、英語を使わせたりするのも一つの方法です。

たとえ乳幼児期を過ぎた子どもを育てている家庭でも、遅くはありません。無意識で覚える時期が過ぎてしまっても、きちんと英語の重要性を話して、納得させることができれば、10代に入った子どもでも、急速に英語力を上達させることができます。

その原動力は「英語は実社会で役に立つ」「英語ができるとこんなに楽しい」「英

語を通じて世界中に友達を作ることができる」と実感させることです。親が英語を話せないなら、親も一緒になって英語を学び始めてもいいでしょう。

とにかく家の中に、英語がたくさん聞こえる環境を作ってあげることです。たとえばテレビを見るときに、二カ国語放送ならば英語に切り替えて、内容がわからなくても耳を英語に慣れさせる。英語放送のラジオチャンネルを流しっぱなしにする。英語の音楽を積極的に聞いてみる。そうした環境を整えてあげて、英語に興味を持たせることが学習意欲の向上にもつながります。

英語の楽しさと必要性を教えることは、親の大切な役目です。

ただし、口先で「これからは英語が重要だから、英語を勉強しなさい」と言っても、子どもはプレッシャーを感じるだけ。かえって英語嫌いになってしまうかもしれません。だから、むしろその子が本当に好きなことを英語で楽しませるのです。

たとえばサッカーが好きな子なら、英語でサッカーの試合を見せる。好きなサッカー選手の英語の記事を見せる。ファッションが好きな子なら、大好きなモデルやブランドの情報を英語で読むようにすすめてみる。そうして子どもの興味がある物を、どんどん英語で提供してやると、子どもは知らないうちに英語が好きになり、少しずつ英語がわかるようになります。

もちろん余裕があれば英語教室に通わせるのもいいでしょう。市販されている教育ソフトを使ってもいいでしょう。ネット上のオンライン講座を利用するのもいいでしょう。とにかく、できるだけ早く、多く、英語に触れる機会を作ってあげてほしいのです。

英語ができると、子どもたちの世界は一気に広がります。日本だけでなく、世界に羽ばたくことができるようになります。

言葉ができると、外国に行っても自信を持って人と接することができ、本当の交流ができます。活躍の場が広がって、夢も大きく見ることができます。子どもの可能性を最大限に伸ばすために、親は真剣に英語教育に取り組んでほしいと思います。

＊ＴＯＥＩＣ®—Test of English for International Communication ＝国際コミュニケーションのための英語力測定試験。

42

Participation in arts, music and sports makes an All-rounded person

音楽、アートとスポーツで幅広い人間性を

勉強だけできても教養が足りないと、
オールラウンドの人間として
認められません。

教育の目標の一つは「All-rounded person」を育てることだとよくいわれます。つまり、オールラウンドの幅広い人間性を持つ人間という意味です。欧米では、技術や経済だけにしか興味のない人間は、教養がない人と思われてしまいます。そのために音楽やアートに対する知識や技術が求められるのです。

音楽やアートは、言葉や時間を超えて、すべての人が共感できる自己表現の方法です。「言葉では表現できないものを感じられる人こそ、深い思考力を持っている」と教育者は見ています。

だからこそ大学が学生を選ぶときも、音楽やアートの経験を大事にするのです。

音楽に関しては、何でもよいので、楽器を一つ弾けるようにすることが大切です。特別に上手になる必要はないけれど、自分で音を出して音楽を作ることは、とても良い経験です。手と目と耳のコーディネーションの訓練にもなり、頭の回転が早くなります。何もないところから何かを生み出す楽しさを覚えることができ、心も安定してきます。

息子たちは、三人とも4歳くらいからピアノを習いました。ちっとも練習しなかったので、うまく弾けるようにはなりませんでした。でも、学んだことは決して無駄ではありません。その後、楽譜が読めるようになり、その他の楽器を学ぶときの基本になりました。長男はサックス、次男はバイオリンも習いました。三人とも自己流ですが、ギターが弾けます。

アートは特別なことはさせませんでしたが、息子たちは小学校の美術の先生が大好きで、よく絵を描いていました。私も自分が絵を描くことが好きなので、お互いの絵を見せ合って、感想を言い合ったりしました。創造力を高めるためには、人の作品を見ることも大事なことです。それで、ちょっと時間ができると、美術館めぐりに連れていったりしました。

息子たちは、大好きな美術の先生の影響で、陶芸も大好きになりました。彼らは授業で体験した焼き物にはまって、先生の指導のもと20個以上の作品を作りました。そうした焼き物や絵は、今でも私の宝物になっています。

息子たちは、三人とも突出したスポーツマンではありません。それでも小学生時代は、学校の体育の授業以外に、長男は地域の少年野球チームに、次男はサッカーチームに所属していました。体を鍛えるためにも、チームワークを覚えるためにも、スポーツは心身の育成に最高の営みです。

まずは思いきり体を動かして、エネルギーを発散し、体力をつける。そしてチームスポーツでは、メンバーと仲良く切磋琢磨して、時には自分よりも全体のことを考える心を育てる。

向上心、忍耐力、リーダーシップなども、スポーツを通じて学ぶことができるので、やはり何か一つ熱中できる好きなスポーツを、小さなうちに見つけてあげて、応援してあげましょう。

日本では受験の時期がくると、どうしても部活動やスポーツを諦めがちのようです。しかし、スタンフォードのような大学では、日本とは比較にならないほどアートやスポーツ面での実績が評価されます。バランスのとれたオールラウンドの人間性を育てるために、アートやスポーツも大事にしていきたいものです。

43

Teach your children to be net-savvy

インターネットを上手に使う

インターネットの
利便性と危険性の両方を教える。

インターネットが生活の一部になっている現在では、親は子どもに上手にネットの使い方を教えなければなりません。英語にはネットサーヴィー（net-savvy）という言葉があります。それは、ネットをうまく使いこなすという意味です。

インターネットは、世界中の情報をフリーで手に入れることができる便利なツールで、人間の可能性を広げてくれます。

しかし一方で、ネット上には玉石混交の情報が氾濫していて、子どもにふさわしくないコンテンツもたくさんあります。

事実とデマの見分け方も難しいので、親の指導は欠かせません。誤った情報によって騙されたり、変な仲間ができてしまったり、何かの中毒になってしまったり、犯罪まがいのことに巻き込まれたりしてからでは遅いのです。

最近では、小学生から携帯を持たせることも珍しくありません。子どもは携帯からインターネットを見ることが多いので、親は子どもに携帯を与えるときから、ネットとの付き合い方を話し合うことが大切です。

インターネットのソーシャルメディアで、友達と連絡を取り合うのはいいのです。しかしその裏で、いじめが発生したり、知らない人と友達になったために事件に巻き込まれるというようなこともあります。日常的にそうした危険があることも、子どもに教えなければなりません。

また、一度ネット上に拡散してしまった情報は、なかなか消すことができないので、「気をつけてプライバシーを守らなければならない」ということも教えなければなりません。

反対に、インターネットは匿名で書き込むことができるので、そこに、人間の醜い部分をさらけ出す人が絶えません。子どもが、その一人になっては悲しいし、その人たちのターゲットになってしまうことも避けたいことです。だから私は、息子たちに、「たとえ匿名でも、決して人の権利を傷つけるようなことはしてはいけない。自由な意見はいいけれど、前向きで建設的な発信をすること。賢くネットと付き合うように」と話してきました。

息子たちは西町インターナショナルスクールに入学すると、すぐにパソコンを与えられ、コンピューターに関する基本的な原理や仕組みは、小学生時代から学んでいました。当然、インターネットを利用する際の注意点も教えられ、「レポートを書く場合などに、人の論文や意見を丸写ししないように」というルールなども学んでいました。

最近もコピーペーストで論文や作品を書いて、問題になるケースがありました。「見つからないだろうと思って、人の文章や作品を安易に使ったりすると犯罪になることさえある」。そういうことも、親が責任を持って子どもに教えなければなりません。


インターネットのフットプリント（足跡）は、調べればどんどん出てきます。ガラス張りの家に住んでいるようなもので、24時間すべての行動が知られる可能性さえあるのです。

学校側は否定していますが、実際には、子どもたちのインターネットでの書き込みや、フェイスブックでのやりとりなどをチェックしている大学もあるようです。子どもの日頃の口調、交友関係、書き込みの内容などを参考にして合否を決める大学もあるようなので、十分に気をつけてネットを使っていかなければいけません。

日本でも2020年から小・中・高校の教室で、子ども一人に一台のタブレットが与えられ、教育のICT*化がすすめられるようになるといいます。新しい時代に突入している今、親も素早く新しい物のよさと危険性を勉強して、子どもを教育していかなければなりません。ちょっと大変だけれど、みんなでネットサーヴィーになりましょう。

＊ICT—Information and Communication Technology ＝情報通信技術

第5章

思春期の子どもとうまく付き合う6つのヒント

44

It's all because of hormones

ホルモンの
仕組みを
理解させる

イライラするのは自分のせいでも、
親のせいでも、社会のせいでもない。
ホルモンのせいです。

息子たちが9歳くらいから、私は思春期に向かっての準備をし始めました。まず最初にホルモンの仕組みを教えるのです。

「思春期になると、男の子は大人の男になるために、女の子は大人の女になるために、体が変わってくるのよ。その元になるのが『成長ホルモン』と、女性らしさ、男性らしさを作る『女性ホルモン』、『男性ホルモン』。それが大量に体の中に出てくるので、このホルモンが出始めると、時々イライラしたり、ムカムカしたり、眠れなかったり、泣きたくなったり、笑いが止まらなかったり、起きれなかったりするよ。そのくらいホルモンって力が強いの。自分の気持ちがコントロールできなくなるほどにね。だから、思春期になって、急にイライラしたり怒りたくなったりしても、誰のせいでもないからね。自分のせいでも、ママのせいでも、友達のせいでも、社会のせいでもない。ホルモンのせいだからね」と話します。

そして、「でも、ホルモンは一日のなかでも波があるから、落ち着けば、普段通りの自分に戻るのよ。だから何かイライラしたときでも、あわてないで。落ち着いて乗り切りましょうね」と励ますのです。

この頃、イラストなども見せて男女の体の変化を教えて、簡単な性教育も始めます。「このようにして、人間は生き残り、子孫を残してこられたの。思春期を過ぎれば、人生で一番楽しい季節がやってきます。体は一番元気だし、人を好きになったり、夢を実現したり、最高に楽しい日々が待っている。だから頑張ろうね」と話します。

こうしたホルモン教育をしたおかげで、三人の息子たちには、いわゆる反抗期はありませんでした。

時々イライラしていて、大声で弟を怒鳴るようなこともありました。でも、気分が落ち着いたら、ちゃんと弟に謝ったりします。「お兄ちゃんのせいじゃないのよ、ホルモンのせいだからね」と言って、私も兄弟を笑わせたりしました。

思春期は多感な時期です。そのとき、自分の不安定な気持ちの原因が理解できないと、「なんかムカつくな！　きっと、あいつが俺を見たからだ！」「親のせいだ」「先生のせいだ」と子どもはイライラの原因を別のところに探そうとするのです。そして、もし親も、ホルモンの仕組みをよく理解していなければ、「反抗期に入ったかな」

と思って、できるだけ子どもを怒らせないようにと気をつかうばかりで、結果として、親子の絆が薄れていくのです。

「イライラするのはみんなが体験する自然現象だからね」「時期が過ぎれば、いつも通りに戻るから、大丈夫。いいえ、もっと成長した、素敵な自分になるからね」と早くから教えてあげれば、子どもは落ち着いて、思春期を乗り切ることができます。

思春期は、学業に本格的に力を入れるときでもあります。そのときに、ホルモンの仕組みを理解しているかどうかは、学習に対する集中力にも大きく影響します。

ぜひ、思春期に入る前に、子どもにホルモンの仕組みを教えてあげたいものです。

45

Find you identity and you will not be lost

アイデンティティー確認

アイデンティティー(自己認識)が
見つかれば、
自分を見失うことはない。

私は子どもたちが生まれる前から、「アイデンティティー教育」を意識していました。

アイデンティティー（自己認識）とは「私は誰？」「どうしてここにいるの？」「これからどこへ向かえばいいの？」という3つの質問に答えられること。それができれば、人は、人生に迷うことなく、まっすぐに自分の道を進んでいけるのです。

「たとえお産のときに死んでしまっても、子どもにはこの3つの疑問を残したい」。私はそう思いました。では、どうすればいいのか？　考えた末に、私は子どもの生まれる場所を選ぶことにしました。

私たち家族は日本に住んでいます。夫は日本人なので、日本で出産するのが普通です。でも、私は、出産場所に日本を選びませんでした。長男はカナダ、次男はアメリカ、三男は香港で出産しました。それぞれをその場所で産んだのには、私なりの理由があります。

彼らが大人になったとき、なぜ自分がその国で生まれたのか？　その理由を考えて欲しいと思ったのです。

自分の体の中に流れている日本と香港の二つの血って何だろう？　私は日本人？

香港人？　中国人？　カナダ人？　アメリカ人？　それとも地球人？　いろいろ迷って、悩んで、自分のアイデンティティーを見つけてほしかったのです。

その思いは名前にも反映しています。

夫と相談して、名前にもメッセージを込めました。和平、昇平、協平という三人の息子に共通する「平」の字には、自分の名前を書くたびに平和を思い出してほしいという願いが込められています。

「和平」は中国語では、平和そのものです。「昇平」は日が昇るところすべてが平和であれ。「協平」は、協力して平和を守るという意味です。

私たちが結婚したときも、今も、日中関係は決して理想的ではありません。だからこそ、彼らは平和について考える必要があるのです。二つの民族、日・中の二つの血。双方に親戚がいる中で、自分は何を望むのか？　どんな立場をとるのか？　それについて考えて、悩んでほしいと思ったのです。

長男がスタンフォード大学に願書を出す際、一番重要な論文のテーマは、アイデンティティーの話でした。ある日、みんなでサッカーの試合をテレビで見ていると、中国チームのサポーターが日本のチームにブーイングをしたのです。息子たちはそれに怒り、中国チームをブーイングし始めました。そのとき、私は、「でも、君たちは中立じゃないといけない。半分は中国人なのだから」と言いました。息子たちは「だって中国のファンがいけないからだよ」と私と議論をし始めました。

「君たちは、自分が半分中国人であることを恥に思っているの？」という私の問いかけに、息子たちは猛反発。「そんなことは絶対にない。僕たちはママの血を大事に思っている」そう言って泣き出したのでした。

その出来事を論文に書いて、長男は「僕は国籍にも民族にもこだわっていない。ただ人間として、何が一番正しいのか、それだけを考えていきたい」と結論を出したのです。

その論文を読んで、私は泣きました。

長男は悩みながらも確実に、自分のアイデンティティーを確認することができたのです。

思春期をむかえた子どもは、「自分はどんな人間なのか？　自分は何をやりたいのか？　自分のやりたいことを実現するためには、どうすればいいのか？」と悩み始めます。この時期は「自分は一体誰なんだろう？」「何をすればいいんだろう？」と悩む自分探しの時期なのです。

自分探しは決して簡単なことではありません。国や社会との関わりの中で、自分の役割は何なのか？　自分自身の価値は何なのか？　それを認識するためには、長い時間がかかるかもしれません。

しかし、悩んだ結果、自分が他の誰でもない、自分自身なのだと認識できた子どもは、勉強にも進学にも迷いがなくなります。

アイデンティティーが確立できた子どもは、毎日の生活に意義を感じ、目的意識を持って人生を生きていけるのです。親はこの時期、子どもに寄りそって、「あなたは誰？」「どうしてここにいるの？」「これから何がしたいの？」と問いかけてあげましょう。そして、一緒に悩み、考えながら、子ども自身が自分の存在を発見し自己認識ができるよう、手助けをしてあげましょう。

次男も三男も、自分の国籍や自分の体の中を流れている2つの血についてよく考えたようです。そして自分の立場をよく理解しているようです。

自分のアイデンティティーを確立した息子たちは、もう簡単に自分を見失うことはないでしょう。

ただ、人間には、アイデンティティー・クライシス（自己認識の危機）が3回来ると言われています。一回目は思春期。二回目は、就職や結婚のとき。三回目は、子どもが家から離れて、自分が定年を迎えたとき。

息子たちにも、いずれやってくるだろう残り2回のアイデンティティー・クライシス。どんなに悩んでもいいので、納得した自分自身を見つけてほしいものです。

46

Embrace differences and enjoy diversity

差別しない心

違いを認めて、
多様性を楽しむ子どもになってほしい。

スタンフォード大学の教育学部博士課程では、必修科目として、モラルを考えるクラスがありました。それは、人を差別しないで、多様性を受け入れることを目的とする授業でした。私ももちろん、受講しました。ある日、教授から「今から模擬討論会をします。問題だと思うところを指摘してください」と言われました。

その討論を見ていて、私には問題だと思うところは、全く見つからなかったのです。それで教授に質問されたときも「わかりません」と答えるしかなかった。しかし、ほかの学生はすぐに問題点に気づいていました。

「黒人のパネラーだけ、発言時間が短かった。話も途中で打ち切られていました」。言われてみれば、確かにそうでした。基本的に単一民族の日本に長くいたため、私は差別のことに鈍感になっていたのかもしれません。

「こうした差別に気づかないと、自分が人を差別しても気づかない人間になってしまうよ」と教授に言われて、本当にドキッとしました。

そうした経験をもとに、息子たちには小さい頃から、世界にはいろいろな国、民族、宗教、主義や主張の違いがあることを教えてきました。そして、たとえ人が自分と違っていても、違いは恵みであり、恐れることではないということも教えました。

留学中、私は長男を大学内の保育園に預けていました。世界各国から集まってきている大学院生の子どもが多く通う保育園でした。新しい友達ができると、私はつい、「どこの国の子？」と聞いてしまうのです。すると、ある日、息子に「どこの国でもいいでしょう？　ママ、もっと大事なのは、どういう子なの？　ということでしょう」と言われてしまいました。ハッとしました。子どもに教えられた瞬間でした。

大人は固定観念が強くて、どうしても既成の枠から離れられない。でも、子どもたちは頭が柔らかいので、素直に新しい人や物を取り入れられるのです。

今では、息子たちは本当に多様性を楽しんでいるようです。彼らの友達の中にはいろんな国、人種、宗教の方がいます。

「ママ、今日の友達はベジタリアンだから、肉は食べないからね」とか、「あの子は宗教上、豚肉を食べられないからね」とか、本当にいろいろ。ときには「彼女の恋人は女の人ですからね」とそっと教えてくれたり……。

違いは恐れるものではありません。むしろ違っていることを楽しむことができれば、友達の輪は一気に広がります。今、息子たちは、世界中に友達がいて、とても楽しそうです。

最近では民族の違い、宗教の違い、主義や主張の違いのための争いやテロが多くて、やりきれない気持ちです。

お互いに違いを認め合うことができれば、お互いの理解がすすみ、平和は近づきます。

違いが楽しめれば世界は広がります。

差別のない平和な世界を目指すためにも、今後はますます多様性を受け入れ、それを楽しむ側に回ることが大事だと思います。

47

Falling in love is part of life's education

恋愛は
大切な人生経験

人を好きになるのは自然なこと、
自分も相手も
大事にする心を教えましょう。

年頃の男女が異性を好きになるのは、ごく自然なことです。私は健康的な男女の付き合いには反対しません。恋愛や、異性との付き合いを否定すると、子どもは恋に対して臆病になってしまい、健全な男女関係も作りにくくなります。

そのために、日本ではあまり一般的ではないかもしれませんが、年代にあわせた性教育をすることが大切です。それは学校にまかせることではなく、むしろ家庭で教えなければならないことです。

ただ欲望を満たすだけの男女関係は、相手も自分も粗末にすることになります。場合によっては、取り返しのつかない結果につながる場合もあります。

女の子が初潮を、男の子が精通を経験する12〜13歳の頃は、異性を意識したり、好きになったりするのが普通です。だから中学生になる前に、「異性を好きになるのはとっても自然なこと。大好きな人と結婚して、新たな生命が生まれるのは素晴らしいことです」と教え始めました。

中学生からは「セックスは生命を育むとても神秘的で素敵なこと。愛し合っている同士なら、自然な行為だよ」と、健全で安全なセックスについても話をしました。

うちは男の子なので、「相手の女性をいかに大事にできるのかが大切」ということも、よく言い聞かせました。

中学生はまだ子どもですが、女性を妊娠させることもできるので、その責任の重さも教えました。そして、「パパとママになる心の準備がないうちには、気楽に性行為を行うのはあまり賛成できない」という話もしました。

現代社会は、性についての情報が氾濫しています。子どもたちが間違った価値観を身につけないうちに、性についても親とフランクに話せる雰囲気を作ることが大事です。

「学生は勉強していればいい。恋愛なんて時間がもったいない」という意見もあると思います。でも私は、人を愛する喜びは自然なことだから、怖がることも、避けることもないと言ってきました。

もちろん恋愛は、実るときもあれば、振られるときもあります。でも、それもいい社会勉強であり、心が強くなるプロセスなのです。

息子たちにはそれぞれ、中学校からなんとなく好きな子がいたようです。でもそのときは、ちゃんと紹介されたことはありませんでした。高校からは三人ともアメリカに留学しましたが、私は息子たちを日本から送り出すときには、必ず笑いながら「No Drinking, No Drugs, No Baby（飲酒やドラッグ、赤ちゃんを作ることはなし）ね！」と言っていました。

高校では、三人とも、真剣に付き合っていた彼女がいて、彼女たちは日本にもやってきました。そしてガールフレンドが出来ると、学業がダメなるどころか、彼らはお互いに励ましあって勉強して、むしろ学生生活が充実して、楽しくなったように見えました。

恋愛が勉強の邪魔にならないようにするためには、性の話をタブーにしないことです。適切な時期に恋愛や性についての話をすることが必要なのです。そして何よりも、相手を大事にする心を教えることです。

48

Don’t dodge the difficult philosophical questions

人生の哲学の
難題を語り合う

親と一緒に悩んで、
一緒に人生の謎について語ることが、
思春期の子どもには必要です。

10代は哲学的な難題にぶつかる時期でもあります。「なんで生まれてきたの？」「なんで死ぬの？」「神様はいるの？」そうした疑問の答えを求めて、時に若者は苦しみ悩みます。

その時期、私は、わざと難しい哲学の本を読ませたりしました。『ソフィーの世界』は息子たちみんなが大好きでした。J・D・サリンジャーの『フラニーとゾーイ』も読ませました。

『ソフィーの世界』は、小説の形をとりながら、いろんな哲学者の考えが学べる哲学の入門書です。『フラニーとゾーイ』は私が思春期に読んで、人生の難題を解いてくれた本です。

私はカソリックですが、思春期に入って、「神様は本当にいるのかな？」と悩んだ時期がありました。『フラニーとゾーイ』でも、主人公が同じ悩みを持っていました。主人公の兄は、天才児として、ラジオ番組に出演していました。お兄ちゃんの一人は、いつも靴をピカピカに磨いています。「誰も見もしないのに、なぜ靴を磨くの？」と主人公が聞くと、「あそこに座っているファットレディーのためですよ」とお兄ちゃんは答えます。

そこには「神様はどこにもいるんだよ」というメッセージが込められているのです。私はそのくだりが大好きでした。そして神様は、はるかかなたの天上にいるかもしれないけれど、すべての人が神様であるとも思えるようになったのです。サリンジャーを読んで息子たちが、私と同じ解釈をしたかどうかはわかりません。でも、長男も次男も、高校に入ってから、自由卒論のテーマに宗教を選んで勉強していました。

結果として、彼らは特定の宗教を信じるようにはなりませんでしたが、生死について、なぜ、生きるかについて、それぞれの結論を得ているようです。

実は、人知を超越した大きな力の存在については、親にも先生にも、わからないことが多いのです。こうした謎とともに成長し、生きていくことは、人生の大きな課題の一つです。そんな大切な悩みを抱え始めるのが思春期です。

そのとき、親は、考え方の糸口となる、しっかりとした道標を与えてあげることが必要です。それは哲学の本かもしれないし、歴史上の人物や思想家の話かもしれない。子どもと一緒に考えて、悩んで、「わからないものがあるからこそ、人生って面白いよね」と話すだけでも、子どもの心は安定するものです。

一緒に考えて、悩んで、一緒に人生の不思議を歩いていく。難しいからと敬遠しないで、一緒に物事の真理や原理を探求していく。思春期の教育には、そうした哲学的な面も重要だと思います。

49

Know how to show you care

喧嘩に
なったときは、
とことん向き合う

親子関係がつまずいたとき、
愛情を行動で示しましょう。

一生懸命に子育てしてきたつもりでも、時につまずくことがあります。

私は長男がスタンフォード大学に入学したその日に、彼と大喧嘩をしました。入学式が終わり、寮にもどって、親たちが帰るときでした。

「僕の高校時代、ママは劇にも行事にも来てくれなかった。昇平のときにはもっと行ってあげたほうがいいよ」と半分は寂しそうに、半分は責めるような口調で言うのです。

確かに長男が全寮制のサッチャー・スクールに入ってから、いろんな学校行事がありました。でも下に二人の子どもがいて、仕事もとても忙しかったので、なかなか参加することができませんでした。

彼はその高校で、アジア人として初めてミュージカルの主役を務めるほどの大活躍をしていたのに、私は一度もその晴れ姿を見ることができませんでした。「行ったほうがいいの?」と聞いても、「来なくっていいよ」と言われていたので、その言葉に甘えていたのです。

でも、きっと、長男はずいぶん寂しかったのでしょう。私は自分自身が悔しくて、「だって君が来なくっていいと言ったんじゃない?」と言ったのです。「来てほしかったなら、もっと早く言ってくれればいいのに……」

彼は、「もういいから、いいから」と言い残して、友達と入学式の集会に出かけてしまいました。

私はその晩、ロサンゼルスまで戻り、次の朝にはレコード会社と会議をする予定でした。スタンフォード大学からは車で8時間ほどかかります。

車に乗って、3時間ほど走りました。でも、長男との会話がどうしても気になって仕方ありません。「やっぱり、最後まで話をしなければ……」と、結局Uターンして、再びスタンフォード大学に戻りました。彼の寮に着いて、電話をしました。

「え？　もうロサンゼルスに着いたの？　早い！」

「いいえ、戻ってきたの。今、君の寮にいる」と言ったら、長男は驚いて、「何しに帰ってきたの？」「君にちゃんと謝りたかったんです」。

寮に戻ってきた彼は、泣きそうになり、「ママには負けるな。わかったよ。許すよ」と言って私と抱き合いました。

長男に寂しい思いをさせてしまったことは、取り消すことはできません。けれども、「ごめんね」と言えて、心底わかり合えたことは、本当に嬉しかった。夜中に車を走らせて、徹夜の奮闘でしたが、長男の心に私の真剣さが伝わったことは、本当によかったと思いました。

次男とも似たような出来事がありました。スタンフォード在学中の次男が「僕だけママにあんまり可愛がってもらえなかった」と言うのです。

自分では、全くそんなことはなかったと思います。でも、たしかに「君のことはパパが一番よくわかってる。君はパパっ子だね」と言っていました。

その次男が高校生のとき、インターネットに自作の歌を歌ってアップしたところ、ちょっとした話題となり、アメリカのレコード会社から契約の話が来たのだそうです。ところが、日頃から、夫は「芸能界は厳しいよ。ちゃんと大学を出て普通の仕事をしたほうがいい」と言っていたので、彼は親に黙って断ったのだそうです。

私がもっと次男の音楽活動を応援していて、その話を知っていたら、きっと、私は「やりなさい！」とすすめたと思います。私は、その話を聞いて後悔しました。20歳を過ぎて、ちょっと次男との距離を感じ始めていた頃でした。

私は親子関係を取り戻すために、仕事を調整して彼が住むアメリカのアパートにしばらく泊まりに行きました。そして、彼がスタンフォード大学の学生ミュージカルの主役に抜擢され、ワールドツアーに出ることが決まったときには、「昇平兄ちゃんの追っかけになろう！」と、三男と二人で韓国、中国、マカオなどの公演を追いかけて、劇団員の学生とも、とても仲良くなりました。

その千秋楽はニューヨーク。

劇団員と同じ宿に泊まって、最後のステージを楽しみにしていました。ところが、なんと、その日、大きな台風が来て、舞台が中止になってしまい、みんながっかり……。

落ち込んでいる学生たちを盛り上げようと、私は、みんなをハドソン川のクルーズに誘い出しました。台風一過、船の上でみんなで食事をして、ニューヨークの夜景を見ながら、若者たちは音楽に合わせて踊りだしました。

そのとき、次男が突然そばに来て、「ママ、踊ろう！」と言ってくれたのです。とても恥ずかしかったけれど、すごく嬉しかった。友達もみんな大拍手。

次男は少し照れながら「ちょっとママに反抗したいと思ってたけど、ママを嫌いになる理由が一つも見つからないよ。本当にいつもありがとう。I Love You」と言ってくれました。「子育ては必ず報われる」とよく言われますが、そのときは「本当に報われた！」と実感することができました。

もし、親子関係がつまずいたら、その小さなサインを見つけたら、すぐに具体的に行動して、解決するように努力することです。行動で愛情を示す。そしてとことん子どもに向き合う。そう心に誓っていれば、親子関係はきっとうまくいくはずです。

第6章

スタンフォード大への道

50

Schools will help you pay the tuition

学費のことで諦めないで

奨学金制度を利用すれば、
スタンフォード大だって夢ではない。

スタンフォード大学は私立なので、学費はかなり高額です。わが家の息子たちは、小学校から中学校までは日本国内のインターナショナルスクール、高校はアメリカの全寮制、そして大学はスタンフォードなので、教育費はかなりかかりました。

子育て中は、夫婦で頑張って、寝る間も惜しんで働いて、そのほとんどを息子たちの教育に投資したと言ってもいいぐらいです。

「一般家庭では、私学の学費は負担が大きすぎる。とてもアグネスみたいな真似はできないわ」そんな声が聞こえてきそうです。

しかし、決して方法がないわけではありません。息子の友達の中にも、奨学金で学校に通っていた子がたくさんいました。日本のインターナショナルスクールには、必ず何らかの奨学金制度があります。可能性のある子どもには、学費を安くしたり、学費を払わなくても学べるような制度があるのです。

息子たちが通っていた西町インターナショナルスクールにも「アウトリーチ」奨学金制度があり、学生に経済的な支援を行っています。親の収入によって、学費の一部か、全額が免除されます。基本的には1年間だけの支援ですが、優秀な成績であれば、卒業するまで学費が免除されます。つまり、経済的な理由だけで進学を諦めることはないのです。

アメリカの高校では、もっと制度が充実しています。

三人の息子たちが通っていたサッチャー・スクールでも、28％の学生が奨学金制度を利用しています。

ただし、学校によって、外国人は利用できないという制約のあるところもあります。アメリカの高校に行きたいと思ったら、必ず外国人にも奨学金制度が適用されるかどうかを調べることが大事です。

もちろん金銭的に余裕のない家庭は、高校から留学させる必要はありません。

息子たちの多くの友人は、日本国内のインターナショナルスクールの高校に進学し、それから、海外の大学に留学しました。日本のインターナショナルスクールなら、問題なく奨学金制度が利用できるはずです。しかも、日本の名門大学へ進学することも可能なので、選択の幅も広がります。

アメリカには、外国人の学生にも奨学金を出す大学がたくさんあります。スタンフォード大学もその中の一つです。奨学金が必要な場合は、願書を出すときに必ず

Financial Aid（金銭的支援希望）と明記してください。そうでないと、在学中に改めて申請することはできません。

奨学金はその家庭の経済状況によって計算されます。親の年間収入が6万5000ドル以下の学生は、親の負担は0となり、学費、寮費、食費、雑費、お小遣いまで大学が用意します。年間収入が12万5000ドル以下の家庭も、優先的に奨学金が支払われます。

さらに、もっと高収入の家庭でも、複数の子どもが大学に通っている場合は、奨学金の申請をすることができます。

学費は高いのですが、合格してしまえば、なんとかしてくれるのが一流大学の証です。入学が認められれば、大学は、必ず進学できるように経済的な保障をしてくれます。

現在、スタンフォードの学生の85％は、何らかの金銭的な援助を受けて大学に通っています。「お金がないから、スタンフォード大学には行けない」そんな理由で諦めてほしくないのです。「頑張れば、スタンフォード大は夢ではない」というのが、私の恩師、マイラ・ストローバ博士の口癖でした。

『フォーブズ』誌の統計によると、スタンフォード大学は、大学教育に投資して、実りの多い大学のトップスリーに入っています。ハーバード大学よりも、プリンストン大学よりも、卒業生は高収入を得ています。

教育に投資することは、決してお金の無駄にはなりません。むしろ一番効率のいい投資であると私は信じています。

親として、たった一つ子どもに残すものがあるとしたら、何を残してあげるべきでしょうか？

それは質の良い教育を与えることによって、子どもの頭の中に、誰にも奪われない知識を残してあげることだと私は確信しています。

スタンフォード大学の願書

スタンフォード大学は入学希望者のためにホームページを開設しています。そこにはまずこんなことが書かれています。

「自分の成し遂げたものに自信を持ってください。そして、自分の行く道を信じてください。自信をもって、どうやって自分をプレゼンテーションするかを考えてください」

英語の単語は、ビリーブ（believe）、コンフィデンス（confidence）、トラスト（trust）。信じる、自信、信頼と、たたみ込むように、自分を信じることの大切さを強調しています。つまり何より、自信があることが大前提なのです。

ここでは、息子たちの願書の内容を簡単に紹介します。これからスタンフォード大学に挑戦する方の参考になれば幸いです。

２０１５年、つまり三男が合格した年、スタンフォード大学には４万２４９７人の応募者がありました。その内、合格者は２１４２人。入学率は５％、倍率は約20倍でした。

スタンフォード大学は、学生の過去、４年間の成績と、大学進学適性試験（ＳＡＴ*かＡＣＴ*）の成績、志願論文と、大学が独自に出した課題に対するレポート、そして高校の先生からの推薦状で入学選考を行っています。

大学の発表によると、その年に合格した学生の過去４年間の成績（ＧＰＡ*）の平均点は、４点満点のうち４点以上が76％。３・99から３・７が21％。３・７以下は３％でした。97％の合格者は、自分の学校での成績が、学年のトップ10％にランクされているということです。

また、大学進学適性試験（ＳＡＴ）では、Math,Readeing,Writing,

＊ＳＡＴ（Scholastic Assessment Test）—非営利法人である「College Board」が主催するテストで、現在アメリカ国内で一番広く大学受験時に使われるテスト。文章読解、数学などの教科がある。通常１年間に７回（日本では６回）実施され、何度でも受験できる。受験生側で一番良いスコアを選んで提出できる大学と、すべてのスコアを提出させる大学がある。

＊ＡＣＴ（American College Test）—民間企業が主催し、大学入学を希望する米国の高校生が受ける。共通試験科目は、英語・数学・理科・社会の４科目。合計ではなく、４科目の平均点をスコアとして算出する。36点満点。

の3教科のテストの成績が要求されていて、それぞれのテストの満点は800点。合計2400点満点で評価されますが、スタンフォード大学では3教科ともに700点以上を取ることが最低条件になっています。同様にACTでは89%の合格者が36点満点で、30〜36点を取っていました。

息子たちは三人とも、学校の成績は上位のほうでした。4年間の成績（GPA）は4点満点ですが、息子たちは三人とも4点を超えていました。なぜかというと、高校によっては大学レベルのAPクラス*を提供しています。

スタンフォード大学では、このAPクラスをどのくらいたくさん取っていたかに注目します。

APクラスの評価は5点満点なので、たくさんAPクラスを取って、いい成績を収めていれば、平均点はそれだけ高くなります。だから息子たちは、積極的にAPクラスを取っていました。その結果、彼らのGPAは4点を超えていたのです。

*GPA（Grade Point Average）—米国の大学に入学するための要素の一つ。学生の成績を簡単な数値で表したもの。欧米の大学や高校で一般的に使われており、日本でも導入する大学が増えてきている。

*APクラス—アメリカの高校で提供されているクラスで、普通のクラスより内容や課題が高いレベルが要求される。このクラスを取った人は通常、全国共通APテスト（科目ごとにある）を受ける。

長男は、全米の学力トップクラスの学生に贈られる賞を受賞しました。三男は、APクラスの全米試験で賞をもらいました。次男は賞こそもらってませんが、成績はかなり優秀でした。こうした成績は、日頃の努力あるのみです。いい成績を取ることは最低条件なので、それをクリアするのは自分の努力次第なのです。

次にSATとACTの統一試験です。これは学力テストです。基本的に大学が要求するのは数学、英語と文章を書くテストです。スタンフォード大学も、SATかACT、どちらかの成績を要求しています。長男はSATで、数学が800点満点と好成績でした。次男も700点台後半。三男はACTを選びましたが、36点満点で34の平均点でした。

この統一試験はかなり難しいので、学生によっては塾に通って練習したりするほどです。この試験を乗り越えるためには、ただただ、練習しかありません。例題が載っている本が市販されているので、ひたすら練習するしかないのです。何回受験してもいいシステムなので、一番いい点数を志望大学に送ればよいのですが、スタンフォード大学の場合は、受験したすべてのテストの成績が要求されます。そのため、あまり何度も受験すると、かえって悪印象につながるのではないかと噂されています。

息子たちはアメリカの高校でテストを受けたので、私は基本的にノータッチでした。それでも、夏休みなどで家に戻ったときには、一緒になって練習しました。

今、アメリカでは共通願書*を受け取る大学が多くあります。つまり、同じ願書を複数の大学に送ることができるのです。そこには基本の志願論文*、成績、推薦文などが含まれています。スタンフォード大学もそのシステムに加入していますが、共通願書以外に大学が出した独自の課題に答えることも要求されます。

願書の中で一番大事なものは志願論文といわれています。その論

＊共通願書―どの大学にも提出できる共通の願書で、オンライン出願が主流。高校時代の成績、受賞歴、課外活動、トピックを選んで書くパーソナル・エッセイなど多岐にわたる。

＊志願論文（エッセイ）―志望動機や将来設計などを書いて自分をアピールするもの。共通願書のエッセイと大学ごとのエッセイがある。入学審査でもっとも重視される。

文がうまく書けるかどうかは、とても重要です。長男は二つの文化で育てられた自分の経験から、アイデンティティーについて書き、次男は私が乳がんにかかったことから命について書き、三男は東日本大震災を経験して、自分の人生がどのような影響を受けたかについて書きました。

どれも読んでみると、私には、涙が出るほど心を打たれる内容でした。志願論文の一番大事なポイントは、その文章の中から、子どもの人格、考え方が読み取れるかどうかだそうです。息子たちの素直な自己表現は、きっと選考者たちの共感を呼んだはずです。

論文をうまく書くためには、長い教育の積み重ねが必要です。物事を人に伝えるときの順番、自分を分析する力、自分の考えをまとめる力、独自の視点など、本当に総合的な教育の結晶です。私は息子たちの論文を読んで、「スタンフォードがもし君を取らなかったら、損をするのは大学のほうだね」と感想を言った思い出があります。そのくらい、息子たちの論文には、それまでの人生が凝縮されていました。

それ以外に願書では、勉強以外に何をやってきたのかが聞かれます。大学は、志願者の成績がいいのは当たり前と思っているので、それ以外にどうやって生きてきたのかが問われるのです。リーダーシップはあるのか？　社会貢献はしてきたのか？　スポーツはできるのか？　アートではどうなのか？　いろいろな角度から総合的に学生を判断するのです。ここで差がつけられるかどうかは、とても肝心です。

長男は高校が指名した学校を代表をする「大使」（Ambassador）のタイトルを持ち、学校の裁判委員会（Judicial council）、の委員でした。また風紀委員も務め、下級生に慕われて、学校に多くの貢献をしました。アート面で、ミュージカルの主役を務めた他、ギターを弾き、サックスを吹き、焼き物と絵を趣味としていました。

社会貢献の面では、ユニセフ活動への協力をはじめ、地元の水害のときには、先頭に立ってボランティア活動を行いました。スポーツマンではないけれど、乗馬、キャンプ、釣りが大好きで、自然を守る活動もしていました。

次男は音楽が大好きで、高校のミュージカルでは、２年続けて主役を務めました。自作の歌はインターネットで話題となり、ある音楽サイトでは、フォークソング部門でトップテンに入るほどの人気ぶりでした。

高校では「Spring Sing」という新しい音楽イベントを立ち上げ、学生全員で楽しめるこのイベントは、その後、毎年行われるようになりました。

次男も風紀委員を務め、下級生の面倒を見ました。ユニセフ活動のほか、単身でタイやカンボジアに行って、積極的にボランティアをやり、乗馬、キャンプなど、アウトドアの活動も行いました。

デザインやコンピューターグラフィックスの制作が得意な三男は、高校から頼まれて、学校の１２５周年記念の映画を製作しました。そのために学校の歴史をリサーチし、台本を書き、卒業生たちにインタビューをして、撮影から編集まで大変な作業をやり遂げました。その作品の上映会には、たくさんの卒業生が集まりましたが、感動して涙を流す人が出るほどの大好評を得ました。彼は学校のヘッドツアーガイドを務め、「Spring Sing」のプロデュースもしました。

同じく風紀委員を務め、学校のボランティア活動として、毎週、近所の幼稚園を訪ねて、子どもたちの教育の手伝いもしていました。またティーチング・アシスタント(tutor)に任命され、下級生に文章の書き方を教えました。

ロボット製作のクラスでは、アメリカの高校ロボット全国大会の出場権を獲得することに貢献。タイとカンボジアでボランティア活動をした他、ユニセフの活動や東日本大震災の復興支援活動にも参加しました。さらに夏休みなどを利用して、アメリカではマイクロソフトの子会社で、日本でも企業のデザイン部でインターンをしたりして、社会体験を積み重ねました。

三男は、乗馬の他にアメリカンフットボールも得意で、ロッククライミングが趣味のスポーツマンです。

このように三人ともに、学校内外で、勉強以外の活動を積極的にしてきました。アメリカの大学では、こうした活動が、選考の際に注目されるのです。

もう一つの大きな決め手は、先生からの推薦状*です。スタンフォード大学は、英語と化学の先生から、2通の推薦状を要求しています。息子たちには、それぞれ信頼できる大好きな先生がいたので、その先生たちにお願いしました。きっと素晴らしい推薦文を書いてくれたと思います。

日頃、先生たちと積極的に付き合う、質問をする、話をするのはとても大切なことです。いざ推薦してもらいたくても、普段からコミュニケーションをとっていなければ、先生は何を書けばよいのかわかりません。学生は自分を知ってもらう努力を日々、積み重ねる

＊推薦状―出願者の資質や能力、人間的な魅力について客観的に伝えるもの。高校の担任や進路指導の教員、主要教科の教員などに依頼するように指定される場合が多い。

＊独自の課題―スタンフォード大が2015年に課題に出したエッセイのテーマ

［自分自身に関すること］

1 もっとも好きな本、著者、映画、またはアーティストを挙げよ（50語以内）

2 どんな新聞、雑誌、またはウェブサイトを楽しむか（50語以内）

3 社会が今直面している最重要課題は何か（50語以内）

4 過去2年の夏休みをどう過ごしたか（50語以内）

5 ここ1年で最も好きな出来事（パフォーマンス、展示、大会、

ことが大切です。

スタンフォード大学のエッセイの独自の課題*には「普段どんな本を読んでいるの?」「未来のルームメイトに出す手紙を書いて」などという設問もありました。息子たちは、時には真面目に、時にはユーモラスに、レポートを書いていました。

願書を受け取ると、大学では複数の選考者が読んで、会議で議論を重ねて、合否を決めるそうです。そのプロセスは発表されていないので、詳細はわかりません。たくさんの願書の中で、どうやって選考者の気をひくのか? どうやって自己アピールをするのか? 本当に難しいところです。

正直なところ、どうして息子たちが合格することができたのかは、私にもわかりません。どんなに最善を尽くしても、素晴らしい成績を持っていても、結果的にスタンフォード大学に入れなかった息子たちの仲間が何人もいます。

会議など)は何か(50語以内)

6 可能であれば、どんな歴史上の出来事を目撃したいか(50語以内)

7 自分をもっともよく形容する5つの言葉は何か

【課外活動】

自分の課外活動または労働経験のうち一つについて、簡潔に説明せよ(150語以内)

【自分に重要だった考えや経験】

スタンフォード大生は知的バイタリティがある。自分の知的発達に重要だった考えや経験について顧みよ(250語以内)

【将来のルームメイトへの手紙】

スタンフォードのほとんどすべての学部生が、キャンパスに住んでいる。あなたについて何かを示し、あるいはあなたのルームメイト、そしてわれわれが、あなたを知るのを手助けする、将来のルームメイト宛ての手紙を書きな

「落ちても全くがっかりすることはない。大学と相性が合わなかったと思えばいいのです」と、高校のカウンセラーはよく言います。

私もその通りだと思います。

きっとスタンフォード大学が要求している学生像が、私が息子たちを育ててきた教育目標と合致していたのでしょう。

もちろん、息子たちの絶え間ない努力もあったでしょう。しかし、それ以上に、先生たちをはじめ、彼らの成長を陰にひなたに見守ってくれた多くの方々がいてくださったおかげで、息子たちは難関大学に合格することができたのだと思います。

今は息子たちを支えてくださったすべての方々に感謝の気持ちでいっぱいです。

さい（250語以内）

【自分にとって大切なもの】

自分にとって何が重要か、理由とともに述べよ（100〜250語以内）

資料提供
海外トップ大進学塾 Route H

エピローグ　Epilogue

My Three Sons

あらためて、本書に登場する私の息子たちを紹介しましょう。長男・アーサー金子和平は1986年、当時、私の母が住んでいたカナダのトロント生まれ。次男・アレックス金子昇平は1989年、私が留学中に、スタンフォード大学病院で生まれました。そして三男・アポロ金子協平は1996年、私の故郷である香港生まれです。三人とも大きな赤ちゃんで、おかげさまで大病もせずに、元気に成長してくれました。

プレスクールは、三人とも2歳半から東京・渋谷区の青葉インターナショナルスクールに通いました。ここでは、すべてのクラスが英語で行われます。子どもたちは友達と遊びながら、苦もなく英語を身につけてくれました。基本的に日本語は家で教え、英語はプレスクールで学んだと言っていいでしょう。

そして、小・中学校は東京・港区の西町インターナショナルスクールに進学しました。当初は日本の有名私立小学校への進学も考えていましたが、よく夫婦で話し合った結果、「せっかく英語の基礎ができたのだから、たとえ多少漢字が書けなくなったとしても、インターナショナルスクールで学ぶほうが良いのではないか」「これから世界へ飛び出すためには英語は必須。リスクはあるけれど、やってみよう」ということになったのです。

西町インターナショナルスクールでは、通常、英語で授業が進められますが、日本語や、日本の伝統や文化を教えるクラスもありました。このバイリンガル教育が、息子たちの可能性を大きく伸ばしてくれたように思います。

その後、高校からは、三人ともカリフォルニアにあるサッチャー・スクールに留学しました。

私は、アメリカの高校について、まったく知識がなかったので、スタンフォード大学の教授から、アメリカのトップクラスの高校の情報を集めて、資料を取り寄せました。それから長男と相談して、10校ほどに候補を絞り込んだのです。トップクラスの高校の多くは、東海岸に集中しています。しかし、長男が最も気に入ったのは西海岸にあるサッチャー・スクールでした。

この高校の教育はとてもユニークです。厳しく勉学を教えるだけでなく、日本でいう「文武両道」のような教育理念を実践しています。全寮制のこの高校には、大きな牧場があり、すべての新入生には、自分の担当する馬が一頭貸し与えられます。新入生は毎日起床すると、まず馬屋に行き、馬のフン尿をかたづけ、えさを食べさせなければいけません。馬の世話をしてから自分がシャワーをあびて朝食をとり、それから授業に行くのです。この作業には、土日の休日もありません。学生たちは、自分以外の命を守ることを義務づけられることによって、命の大切さを学び、責任感も育てられることになります。

その他にも、年に2回、まるでサバイバルキャンプのような過酷なキャンプに、1週間参加することが義務づけられています。学生たちは、そこで助け合いの精神や友情を育み、強い精神力も身につけることができるのです。

長男も私も、そんな教育理念に魅力を感じて、この高校に進学することを決めました。その決断は間違っていませんでした。実は都会育ちの長男は、高校に行くまでは、どちらかというとスポーツが苦手で、少しひ弱な感じのする子どもでした。それが、一学期ごとに、見違えるほどたくましく変身していったのです。卒業後、長男はスタンフォード大学に合格しました。そして弟たちも、兄の跡を追うように、同じ進路をたどり、スタンフォード大学に合格したのです。

息子たちは今、全員、アメリカのカリフォルニア州のシリコンバレーで生活しています。

長男の和平は、大学で国際政治と経済学を専攻しました。在学中はワシントンのホワイトハウスでインターンをし、交換学生として北京大学で一学期を過ごしました。

在学中から、子どもの絵をシェアーして仲間とお絵描きができるソフトを開発した企業で働き始め、その後はアメリカ資本のベンチャーキャピタル（投資会社）の一つに就職しました。

2年でVP（副社長）にまで昇進したのですが、仲間と起業するために、高収入だったその仕事を辞めて、会社を始めました。

今はその会社のＣＯＯ（最高執行責任者）として、日々会社の運営と部下の管理で、忙しく働いています。忙しすぎて、遊ぶ時間のないのがちょっと心配ですが、仕事に没頭している姿はとても頼もしく見えます。

料理好きは今も続いていて、ホームパーティで、友人たちに手料理をふるまうこともあるようです。たくさんの友達に囲まれた笑顔の写真が、時々ＬＩＮＥで送られてきます。


次男の昇平は、大学では音楽テクノロジーを専攻しました、普通は大学院生しかとらないCCRMA（コンピューター音楽と音響研究センター）に受け入れられて、特別に卒業するまで、音楽とコンピューターサイエンスの勉強をすることができました。

在学中にアカペラグループに所属して、アメリカ各地で公演をしたほか、学生制作のオリジナルミュージカルの主役に抜擢され、ワールドツアーも成功させました。

彼は卒業後、すぐにスカウトされて、全く新しい形態の補聴器を作る会社に入社しました。音の専門エンジニアとして、画期的な新商品をみんなと開発したのです。その新世代の補聴器「EARGO」は、発売した途端に売り切れが続く大ヒット商品になり、今はさらに進化した次世代の補聴器を研究し続けています。

彼は今、ジムに通って体造りをしています。南米からアメリカ全土をまわる6か月間のサバイバルキャンプに行くのが、今の彼の夢なのです。

三男の協平は、元気にスタンフォード大学に通いはじめました。専攻はまだ考え中ですが、5年間で修士の学位まで取ることを計画しています。もうすでにたくさんの友達ができて、スィングダンスのクラブに所属して、大学生活を満喫しています。

ちなみに、三人とも、とても可愛い彼女と付き合っていることをつけ加えておきます。

右から長男・和平、次男・昇平、三男・協平（次男のスタンフォード大卒業式にて）

Dear Arthur, Alex and Apollo,

Thank you for being my sons

Thank you for being you

I love you ~♡.

Mom

アグネス・チャン　歌手・エッセイスト・教育学博士
1955年、香港で6人兄弟の4番目として生まれる。72年「ひなげしの花」で日本歌手デビュー。上智大学国際学部を経て、カナダのトロント大学（社会児童心理学）を卒業。85年に結婚、翌年の86年に長男を出産。89年、米国スタンフォード大学教育学部博士課程に留学。留学中の89年に次男を出産。94年に教育学博士号（Ph.D）を取得。96年に三男を出産。以降、芸能活動ばかりでなく、エッセイスト、日本ユニセフ協会大使、日本対がん協会「ほほえみ大使」、香港バプテスト大学の特別教授など、幅広く活躍している。2015年、長男、次男に続き三男もスタンフォード大学に合格し、話題となる。

スタンフォード大に
三人の息子を合格させた
50の教育法

2016年3月30日　第1刷発行
2025年3月10日　第12刷発行

著者　アグネス・チャン
発行者　片桐 圭子
発行所　朝日新聞出版
〒104-8011 東京都中央区築地5-3-2
電話 03-5541-8833（編集）・03-5540-7793（販売）
ブックデザイン　鈴木成一デザイン室
協力　樺山美夏
印刷製本　大日本印刷株式会社

Published in Japan by Asahi Shimbun Publications Inc.
ISBN978-4-02-331478-8
定価はカバーに表示してあります。